A crise da narração

Dados Internacionais de Catalogação na Publicação (CIP)
(Câmara Brasileira do Livro, SP, Brasil)

Han, Byung-Chul
  A crise da narração / Byung-Chul Han ; tradução de Daniel Guilhermino. – Petrópolis, RJ : Vozes, 2023.

  Título original: Die krise der narration

  2ª reimpressão, 2024.

  ISBN 978-85-326-6569-0

  1. Filosofia 2. Informação 3. Narração (Retórica) 4. Narrativas I. Título.

23-162839 CDD-100

Índices para catálogo sistemático:
1. Filosofia   100

Elaine de Freitas Leite – Bibliotecária – CRB 8/8415

BYUNG-CHUL HAN
A crise da narração

Tradução de Daniel Guilhermino

EDITORA
VOZES

Petrópolis

© Matthes & Seitz Berlin
Verlag, Berlin, 2023.

Tradução do original em alemão intitulado
Die Krise der Narration

Direitos de publicação em língua portuguesa – Brasil:
2023, Editora Vozes Ltda.
Rua Frei Luís, 100
25689-900 Petrópolis, RJ
www.vozes.com.br
Brasil

Todos os direitos reservados. Nenhuma parte desta obra poderá ser reproduzida ou transmitida por qualquer forma e/ou quaisquer meios (eletrônico ou mecânico, incluindo fotocópia e gravação) ou arquivada em qualquer sistema ou banco de dados sem permissão escrita da editora.

CONSELHO EDITORIAL

Diretor
Volney J. Berkenbrock

Editores
Aline dos Santos Carneiro
Edrian Josué Pasini
Marilac Loraine Oleniki
Welder Lancieri Marchini

Conselheiros
Elói Dionísio Piva
Francisco Morás
Gilberto Gonçalves Garcia
Ludovico Garmus
Teobaldo Heidemann

Secretário executivo
Leonardo A.R.T. dos Santos

PRODUÇÃO EDITORIAL

Aline L.R. de Barros
Marcelo Telles
Mirela de Oliveira
Otaviano M. Cunha
Rafael de Oliveira
Samuel Rezende
Vanessa Luz
Verônica M. Guedes

Conselho de projetos editoriais
Isabelle Theodora R.S. Martins
Luísa Ramos M. Lorenzi
Natália França
Priscilla A.F. Alves

Diagramação: Monique Rodrigues
Revisão gráfica: Luciana Quintão de Moraes
Capa: Editora Vozes

ISBN 978-85-326-6569-0 (Brasil)
ISBN 978-3-7518-0564-3 (Alemanha)

Este livro foi composto e impresso pela Editora Vozes Ltda.

Atenção, narração.
Um pouco de paciência para narrar, por favor.
E, portanto, paciência mediante o narrar!
Peter Handke

Sumário

Prefácio, 9

Da narração à informação, 17

Pobreza de experiência, 31

A vida narrada, 43

A vida desnuda, 59

Desencantamento do mundo, 69

Do choque ao *like*, 91

Teoria como narração, 101

Narração como cura, 111

Comunidade narrativa, 121

Storyselling, 129

Prefácio

Atualmente, fala-se muito em narrativas. Paradoxalmente, o uso inflacionário de narrativas revela uma crise narrativa. Em meio a um barulhento *storytelling*, há um vácuo narrativo que se manifesta como um vazio de sentido e como desorientação. Nem o *storytelling* nem a guinada narrativa serão capazes de ocasionar o *retorno da narração*. A tematização específica de um objeto e sua transformação em um objeto de pesquisa popular pressupõe uma *profunda alienação*. O forte apelo às narrativas aponta para sua *disfunção*.

Quando as narrações nos ancoravam no ser, ou seja, quando nos atribuíam um *lugar* e transformavam o ser-no-mundo em um *estar-em-casa*, dando à vida significado, apoio e orientação, isto é, quando a própria vida era um *narrar*, não se falava em *storytelling* ou em narrativas. Esses conceitos são usados de modo inflacionário justamente quando as narrativas já perderam sua força originária, sua gravitação, seu mistério, e mesmo sua magia. Quando sua *construção* é percebida, elas perdem seu *momento interno de verdade*. Elas próprias são percebidas como contingentes, como substituíveis e mutáveis. Não são mais vinculantes ou unificadoras. Não mais nos ancoram no *ser*. Apesar do atual alarde sobre as narrativas, vivemos em uma *época pós-narrativa*. A consciência narrativa, que emana da constituição supostamente narrativa do cérebro humano, só é possível em uma época pós-narrativa, uma época estranha ao *poder de vinculação característico da narrativa*.

A religião é uma típica narração com um momento interno de verdade. Ela *narra* a contingência, *evitando-a*. A religião cristã é uma meta-narração que abrange cada canto da vida e a ancora no ser. O próprio tempo se torna narrativamente carregado. O calendário cristão faz com que cada dia pareça significativo. Na época pós-narrativa, este calendário é desnarrativizado e transformado em uma simples agenda esvaziada de significado. Os dias festivos religiosos são o ponto alto e de destaque de uma narração. Sem narração não há festa, não há época festiva, não há sentimento de festividade na forma de um senso intensificado de ser, mas apenas trabalho e lazer, produção e consumo. Na época pós-narrativa, as festas são comercializadas como eventos e espetáculos. Também os rituais são práticas narrativas. Eles estão sempre inseridos em um contexto de narração. Como técnicas simbólicas de abrigo, eles transformam o ser-no-mundo em estar-em-casa.

Uma narração que modifica e que desvela um mundo não é posta arbitrariamente no mundo por uma única pessoa. Na verdade, ela deve seu surgimento a um processo complexo no qual diferentes forças e atores estão envolvidos. Em última análise, ela é a *expressão da tonalidade afetiva de uma época*. Essas narrações com um momento interno de verdade se opõem às narrativas diluídas e substituíveis que se tornaram contingentes, quais sejam, as micronarrativas do presente que carecem de qualquer *gravidade*, de qualquer *momento de verdade*.

A narração é uma forma de *desfecho*. Ela constrói uma ordem *fechada* que cria significado e identidade. Na modernidade tardia, que se caracteriza pela abertura e pela dissolução de fronteiras, as formas de conclusão e de encerramento vão sendo cada vez mais demolidas. Ao mesmo tempo, em face da crescente permissividade, a necessidade de formas narrativas de desfecho está aumentando. As narrativas populistas, nacionalistas, extremistas de direita ou tribais, inclusive as narrativas conspiratórias, atendem a essa necessidade. Elas são aceitas como *propostas de sentido e identidade*. Entretanto, na era pós-narrativa, com a crescente experiência da contingência, as narrativas não revelam qualquer poder de vinculação.

As narrações criam uma comunidade. O *storytelling*, por sua vez, só cria uma community na forma de mercadoria. A community é formada por consumidores. Nenhum *storytelling* seria capaz de reacender a fogueira em torno da qual as pessoas se reúnem e narram histórias umas às outras. A fogueira já foi extinta faz tempo. Ela está sendo substituída pela tela digital que isola as pessoas na forma de consumidores. Consumidores são solitários. Não formam uma comunidade. Os "stories" das plataformas sociais não são capazes de eliminar o vácuo narrativo. Eles nada mais são que autopromoções pornográficas ou anúncios. Postar, curtir e compartilhar como práticas consumistas intensificam a crise narrativa.

Através do *storytelling*, o capitalismo se apropria da narração. Ele a submete ao consumo. O *storytelling* produz narrações na forma de consumo. Com sua ajuda, os produtos ficam carregados de emoções. Eles prometem vivências especiais. *É assim que compramos, vendemos e consumimos narrativas e emoções. Storys sell. Storytelling é Storyselling.*

Narração e informação são forças opostas. As informações intensificam a experiência da contingência, enquanto a narração a reduz, na medida em que transforma o acaso em necessidade. Falta, às informações, a *solidez do ser*. Como observa Niklas Luhman de forma perspicaz: "A cosmologia da informação é uma cosmologia não do ser, mas da contingência"[1].

---

1 LUHMAN, N. *Entscheidungen in der Informationsgesellschaft*. Disponível em: https://www.fen.ch/texte/gast_luhmann_informationsgesellschaft.htm

Ser e informação são mutuamente excludentes. Assim, *é inerente à sociedade da informação uma carência de ser*, um *esquecimento do ser*. A informação é aditiva e cumulativa. Ela não é portadora de sentido, enquanto a narração, por sua vez, transporta o sentido. Originariamente, sentido significa direção. Estamos hoje, portanto, muito bem-informados, mas desorientados. Além disso, a informação fragmenta o tempo em uma simples sequência do presente. A narração, por outro lado, produz um contínuo temporal, ou seja, uma *história*.

Por um lado, a informatização da sociedade acelera sua desnarrativização. Por outro lado, em meio ao tsunami de informações, desperta a necessidade de sentido, identidade e orientação, ou seja, a necessidade de *iluminar a densa floresta de informações na qual ameaçamos nos perder*. A atual enxurrada de narrativas efêmeras, incluindo teorias da conspiração, e do tsunami de informações são, em última análise, dois lados da mesma moeda. Em meio ao mar de informações e dados, buscamos *âncoras narrativas*.

Hoje, narramos cada vez menos histórias uns aos outros na nossa vida cotidiana. A comunicação transformada em troca de informações faz desaparecer a narração de histórias. Também quase não há histórias sendo contadas nas plataformas sociais. Histórias conectam as pessoas umas com as outras, na medida em que fomentam a capacidade de empatia. Elas criam uma comunidade. A perda da empatia na era do smartphone é um sinal eloquente de que ele não é um meio de narração. Seu próprio dispositivo técnico dificulta a narração de histórias. O ato de digitar ou deslizar não é um gesto narrativo. O smartphone permite apenas uma troca acelerada de informações. Além disso, a narração pressupõe escuta e uma atenção profunda. A comunidade narrativa é uma comunidade de ouvintes atentos. Estamos, contudo, visivelmente perdendo a paciência para estar à escuta e a paciência para narrar.

Justamente quando tudo se tornou tão arbitrário, fugaz e aleatório, e quando desaparece aquilo que vincula, associa e unifica, ou seja, em meio à tempestade de contingências do presente, o *storytelling* se faz ouvir em alto e bom som. A inflação de narrativas revela a necessidade de superar a contingência. O *storytelling*, no entanto, não é capaz de reconverter a sociedade da informação desorientada e vazia de sentido em uma comunidade narrativa estável. Pelo contrário, o *storytelling* representa um fenômeno patológico do presente. Essa crise narrativa possui uma longa pré-história. O presente ensaio a investiga.

Da narração à informação

Hyppolyte de Villemessant, fundador do jornal francês *Figaro*, resume a essência da informação na seguinte fórmula: "para meus leitores, o incêndio num sótão do Quartier Latin é mais importante que uma revolução em Madri". Para Walter Benjamin, essa observação deixa subitamente claro que "o saber que vem de longe encontra hoje menos ouvintes que a informação sobre acontecimentos próximos"[2]. A atenção do leitor ao jornal não vai além do que está mais próximo. Ela *se reduz* à curiosidade. O leitor de jornal moderno pula de uma notícia à outra, em vez de deixar seu olhar vaguear à *distância*, e demorar-se ali. O olhar *longo, lento e demorado* se perdeu.

---

2 BENJAMIN, W. O narrador – Considerações sobre a obra de Nikolai Leskov. In: BENJAMIN, W. *Magia e técnica, arte e política: ensaios sobre literatura e história da cultura*. São Paulo: Brasiliense, 1985, p. 202 [Obras Escolhidas, vol. 1]

A notícia, que está sempre inserida em uma *história*, possui uma estrutura espaço-temporal completamente diferente da informação. Ela vem "de longe". A *distância é s*ua marca distintiva. O desmantelamento sucessivo da distância é uma característica da modernidade. A distância desaparece e cede lugar à ausência de afastamento. A informação é uma manifestação genuína da ausência de afastamento que torna tudo disponível. A notícia, por outro lado, caracteriza-se por uma *distância indisponível*. Ela anuncia um acontecimento *histórico* que se exime da disponibilidade e da previsibilidade. Estamos entregues a ela como a um *poder do destino*.

A informação não sobrevive ao instante do seu conhecimento: "a informação só tem valor no instante em que é nova. Ela só vive nesse instante, precisa entregar-se inteiramente a ele e, sem perda de tempo, tem que se explicar nele"[3]. Em contraste com as informações, a notícia possui uma amplitude temporal que a remete para além do instante e a relacio-

---

3 Ibid., p. 204 (tradução modificada).

na com o que está *por vir*. Ela é *portadora de história*. Ela possui uma inerente *amplitude de variação narrativa*.

A informação é o meio do *repórter*, que vasculha o mundo em busca de novidades. O *narrador* é sua contrafigura. O narrador não informa nem explica. A arte de narrar exige que as informações sejam retidas: "metade da arte narrativa está em evitar explicações"[4]. As informações retidas, isto é, as explicações evitadas, aumentam a tensão narrativa.

A ausência de afastamento destrói tanto a proximidade quanto a distância. A proximidade não é idêntica à ausência de afastamento, pois a distância está inscrita na proximidade. Proximidade e distância se condicionam e se animam mutuamente. É justamente essa interação entre proximidade e distância que produz a *aura*: "o rastro é a aparição de uma proximidade, por mais longínquo que esteja aquilo que o deixou. A aura é a aparição de algo longínquo, por mais próximo que esteja

---

4 Ibid., p. 203.

aquilo que a evoca"[5]. A aura é *narrativa* porque está *impregnada de distância*. A informação, por outro lado, retira a aura e desencanta o mundo ao abolir a distância. Ela *apresenta* o mundo. Assim, torna-o disponível. O "rastro", que aponta para a distância, também é rico em alusões e representa uma *tentação para a narração*.

A crise narrativa da modernidade se deve ao fato de que o mundo está inundado de informações. O espírito da narração está sendo sufocado pela enxurrada de informações. Benjamin afirma: "se a arte da narrativa é hoje rara, a difusão da informação é decisivamente responsável por esse declínio"[6]. Informações reprimem acontecimentos que não são passíveis de explicação, mas apenas de narração. Narrações geralmente possuem margens de milagre e de mistério. Elas não são compatíveis com informações, que são a contrafigura do mistério. Explicação e narração são mutuamente

---

5 BENJAMIN, W. *Passagens*. Belo Horizonte: Editora UFMG; São Paulo: Imprensa Oficial do Estado de São Paulo, 2009, p. 490.

6 BENJAMIN, W. *O narrador*. Op. cit., p. 203.

excludentes: "cada manhã recebemos notícias de todo o mundo. E, no entanto, somos pobres em histórias surpreendentes. A razão é que os fatos já nos chegam acompanhados de explicações. Em outras palavras: quase nada do que acontece está a serviço da narrativa, e quase tudo está a serviço da informação"[7].

Benjamin alça Heródoto ao posto do antigo mestre da narração. A história de Psammenit serve como exemplo de sua arte da narração. Quando o rei egípcio Psammenit foi capturado pelo rei persa Cambises, após sua derrota, Cambises humilhou o rei egípcio, forçando-o a assistir o triunfo persa. Ele fez com que Psammenit pudesse ver sua filha passando, filha esta que fora capturada e subjugada à condição de criada. Enquanto todos os egípcios que estavam à beira do caminho lamentavam este fato, Psammenit permanecia imóvel e sem palavras, os olhos fixos no chão. Logo depois, quando viu seu filho sendo levado para ser executado, continuou imóvel. Quando, porém, reconheceu um de seus servos en-

---

[7] Ibid.

tre os prisioneiros, um homem idoso e frágil, bateu em sua cabeça com os punhos e expressou sua profunda tristeza. A partir dessa história de Heródoto, Benjamin acredita ser possível reconhecer o que é uma verdadeira narrativa. Na sua opinião, todas as tentativas de explicar por que o rei egípcio só se lamenta ao ver o servo destroem a tensão narrativa. É justamente a omissão da explicação que é essencial para a verdadeira narração. A narração dispensa qualquer explicação:

> Heródoto não explica nada.
> Seu relato é dos mais secos.
> Por isso, essa história do antigo Egito ainda é capaz, depois de milênios, de suscitar espanto e reflexão. Ela se assemelha a essas sementes de trigo que durante milhares de anos ficaram fechadas hermeticamente nas câmaras das pirâmides e que conservam até hoje suas forças germinativas[8].

---

8 Ibid., p. 204. Benjamin não reproduz a história de Psammenit de modo literal. O original difere consideravelmente de seu resumo. Ele obviamente adota a versão de Michel de Montaigne, que a menciona em seu *Essais*.

A narração, de acordo com Benjamin, "não se esgota em si mesma". Ela "preserva sua força acumulada em seu interior e é capaz de se desdobrar depois de muito tempo". Informações possuem uma temporalidade bem diferente. Por causa de sua margem estreita de atualidade, elas se esgotam muito rapidamente. Seu efeito é apenas momentâneo. Não se assemelham a sementes com poder de germinação eterno, mas a grãos de poeira. Falta-lhes qualquer poder de germinação. Uma vez notadas, elas se afundam na insignificância, tal qual mensagens já ouvidas de uma secretária eletrônica.

Para Benjamin, o primeiro sinal do declínio da narração é o surgimento do romance no início da época moderna. A narração se alimenta da experiência e a transmite de uma geração para a outra: "o narrador retira da experiência o que ele conta: sua própria experiência ou a relatada pelos outros. E incorpora a história narrada à experiência dos seus ouvintes"[9]. Com sua riqueza de experiência e sabedoria, a narração sabe aconselhar so-

---

9 Ibid., p. 201 (tradução modificada).

bre a vida. O romance, por sua vez, anuncia a "profunda perplexidade de quem a vive"[10]. Enquanto a narração é formadora de uma comunidade, a gênese do romance está no indivíduo em sua solidão e isolamento. Ao contrário do romance, que psicologiza e realiza interpretações, a narração procede de maneira descritiva: "o extraordinário e o miraculoso são narrados com a maior exatidão, mas o contexto psicológico da ação não é imposto ao leitor"[11]. Não é, contudo, o romance, mas o advento da informação no capitalismo que leva a narração a um fim definitivo:

> Por outro lado, verificamos que com a consolidação da burguesia – da qual a imprensa, no alto capitalismo, é um dos instrumentos mais importantes – destacou-se uma forma de comunicação que, por mais antigas que fossem suas origens, nunca havia influenciado decisivamente a forma épica. Agora ela exerce essa influência. Ela é tão estranha à narrativa

---

10 Ibid.

11 Ibid., p. 203.

> como o romance, mas é mais
> ameaçadora [...]. Essa nova forma
> de comunicação é a informação[12].

Narrar requer um estado de distensão. Benjamin compreende o tédio como o ápice da distensão psíquica. O tédio é "o pássaro de sonho que choca os ovos da experiência"[13], "tecido cinzento e quente, forrado por dentro com a seda das cores mais variadas e vibrantes" e no qual "nos enrolamos quando sonhamos"[14]. O barulho das informações, o "menor sussurro nas folhagens"[15] espanta o pássaro de sonho. Nas folhagens, "ninguém mais fia ou tece"[16]. Somente informações são produzidas e consumidas na forma de estímulos.

Narrar e escutar atentamente histórias se condicionam mutuamente. A comunidade narrativa é uma *comunidade de ouvintes atentos*. Uma atenção especial é inerente à escuta cuidadosa. Quem escuta atentamente, esquece

---

12 Ibid., p. 202.

13 Ibid., p. 204.

14 BENJAMIN, W. *Passagens*. Op. cit., p. 145.

15 BENJAMIN, W. *O narrador*. Op. cit., p. 204.

16 Ibid., p. 205.

de si mesmo e *se* afunda naquilo que escuta: "quanto mais o ouvinte se esquece de si mesmo, mais profundamente se grava nele o que é ouvido"[17]. Estamos perdendo cada vez mais o dom da escuta. Nós *nos produzimos, ouvimos secretamente*[18], em vez de nos entregarmos à escuta atenta.

Não há mais ninho do pássaro de sonho na Internet, que é a *folhagem digital*. Os caçadores de informações o espantam. Na hiperatividade atual, em que é importante não deixar que o tédio apareça, nunca alcançamos o estado de profunda distensão psíquica. A sociedade da informação está dando início a uma época de alta *tensão espiritual*, pois o estímulo da surpresa é a essência da informação. O tsunami de informações garante que nossos órgãos de percepção estejam permanentemente estimulados. Eles não são mais capazes de pas-

---

17 Ibid.

18 O termo alemão é "belauschen", que significa ouvir às escondidas, como quando ouvimos a conversa de alguém por trás da porta, por exemplo. Han o contrasta, aqui, ao termo "lauschen", que significa "escutar atentamente", sem esse sentido de ser às escondidas [N.T.].

sar para um modo contemplativo. O tsunami de informações fragmenta a atenção. Ele impede o demorar-se contemplativo que é constitutivo do ato de narrar e escutar.

A digitalização põe em movimento um processo que Benjamin, devido à sua época, não pôde prever. Benjamin associa a informação com a imprensa. A imprensa é um meio de comunicação que se segue à narração e ao romance. No decorrer da digitalização, a informação alcança um status completamente diferente. *A própria realidade passa a ser moldada por informações e dados.* Ela passa a ser informatizada e moldada por dados. Percebemos a realidade principalmente com vistas à informação ou por meio de informações. A informação é uma representação, ou seja, uma re-presentação. A informatização da realidade conduz à atrofia da *experiência da presença* imediata. Através da digitalização na forma de informatização, a realidade é diluída.

Um século depois de Benjamin, a informação está se desenvolvendo como uma nova *forma de ser*; na verdade, como uma nova *forma de dominação*. Em conjunto com o neoliberalismo, está se estabelecendo um *regime de informação* que não é repressivo, mas sedutor. Ele assume uma forma *inteligente* [*smart*]. Ele não opera com mandamentos ou proibições. Não nos impõe o silêncio. Em vez disso, esse domínio inteligente exige constantemente que comuniquemos nossas opiniões, nossas necessidades e preferências, exige que narremos nossa vida, que postemos, compartilhemos e curtamos. A liberdade não é suprimida, mas completamente explorada. Ela se transforma em controle e direção. A dominação inteligente é muito eficiente, pois não precisa aparecer. Ela se esconde sob a aparência de liberdade e comunicação. Enquanto postamos, compartilhamos e curtimos, submetemo-nos ao nexo de dominação.

Atualmente, estamos atordoados pelo frenesi da informação e da comunicação. No entanto, não somos mais os amos da comunicação. Em vez disso, expomo-nos à troca acelerada de informação que escapa ao nosso controle consciente. A comunicação é cada vez mais controlada de fora para dentro. Ela parece obedecer a um processo automático, maquinal, controlado por algoritmos, e do qual não somos conscientes. Estamos entregues à caixa-preta algorítmica. As pessoas estão definhando e se transformando em um conjunto de dados que pode ser controlado e explorado.

No regime de informação, as palavras de Georg Büchner ainda soam válidas: "somos marionetes, cujos fios são puxados por poderes desconhecidos; não somos nada, nada nós mesmos!". Os poderes estão apenas se tornando mais sutis e invisíveis, de modo que não temos mais consciência dele. Nós até confundimos isso com liberdade. O filme de animação com bonecos de Charlie Kaufmann, *Anomalisa*, ilustra a lógica da dominação inteligente. Trata-se de um mundo em que todas as pessoas têm a mesma aparência e falam com a mesma voz. Esse mundo retrata um inferno neoliberal de mesmice, no qual se recorre paradoxalmente à autenticidade e criatividade. O protagonista Michael Stone é um treinador motivacional bem-sucedido. Um dia, ele se dá conta de que é um boneco. A parte da boca cai de seu rosto. Ele a segura em sua mão. Ele se assusta porque a boca caída continua a tagarelar sozinha.

Pobreza de experiência

Benjamin inicia seu ensaio *Experiência e pobreza* com a fábula de um homem idoso que, em seu leito de morte, diz a seus filhos que um grande tesouro está escondido em seu vinhedo. Seus filhos, então, cavam no vinhedo dia após dia e em toda parte, mas não encontram nenhum tesouro. Quando chega o outono, porém, eles entendem que o seu pai lhes havia transmitido uma certa experiência: a felicidade não está no ouro, mas no trabalho árduo, pois as vinhas produzem mais que qualquer outra na região. É característico da experiência que ela possa ser *narrada* de uma geração para outra. Benjamin lamenta a perda da experiência na modernidade: "que foi feito de tudo isso? Quem encontra ainda pessoas que saibam contar histórias como elas devem ser contadas? Que moribundos dizem hoje palavras tão duráveis que possam ser transmitidas como um anel, de geração em geração? Quem é ajudado, hoje, por um provérbio oportuno?"[19]. A sociedade está ficando cada vez mais pobre em experiências transmissíveis que correm da boca ao ouvido. Nada mais é transmitido e narrado.

O narrador é alguém que, segundo Benjamin, "sabe dar conselhos"[20]. O conselho não promete uma solução para o problema. Ele é muito mais uma sugestão de *como continuar uma história*. Tanto a pessoa que busca o conselho quanto a que o dá pertencem a uma comunidade narrativa. Aqueles que buscam conselhos devem ser capazes de *narrar*. O conselho é buscado e dado na existência que é vivida na forma de um nexo narrativo. Como *sabedoria*, ele é "tecido na substância viva da existência"[21]. A *sabedoria* está incorporada na *vida como narração*. Se a vida não puder

---

19 BENJAMIN, W. Experiência e pobreza. In: *Magia e técnica, arte e política: ensaios sobre literatura e história da cultura.* São Paulo: Brasiliense, 1993, p. 114 [Obras Escolhidas, Vol. 1].

20 BENJAMIN, W. *O narrador.* Op. cit., p. 200.

21 Ibid.

mais ser narrada, a sabedoria também entra em decadência. Ela é substituída pela *técnica de solução de problemas*. A sabedoria é uma *verdade narrada*. "A arte de narrar está definhando porque a sabedoria – o lado épico da verdade – está em extinção"[22].

A experiência pressupõe tradição e continuidade. Ela torna a vida narrável e a estabiliza. Quando as experiências se deterioram, quando não existe nada vinculante ou duradouro, há apenas uma *vida desnuda*, uma *sobrevivência*. Benjamin expressa de forma inequívoca seu ceticismo em relação à modernidade e à sua pobreza de experiência:

> [...] não, está claro que as ações da experiência estão em baixa [...]. Uma geração que ainda fora à escola num bonde puxado por cavalos viu-se abandonada, sem teto, numa paisagem diferente em tudo, exceto nas nuvens, e em cujo centro, num campo de forças de correntes e explosões destruidoras, estava o frágil e minúsculo corpo humano[23].

---

22 Ibid., p. 200-201.

23 BENJAMIN, W. *Experiência e pobreza*. Op. cit., p. 114-115.

Apesar da dúvida interior, Benjamin se mostra reiteradamente otimista em relação à modernidade. Com frequência, ele muda abruptamente de um tom elegíaco para um tom eufórico. Mesmo com a perda da experiência, ele acredita poder vislumbrar uma "nova beleza". A pobreza de experiência representa uma espécie de nova barbárie, mas algo de positivo pode ser dela extraído: "barbárie? Sim. Respondemos afirmativamente para introduzir um conceito novo e positivo de barbárie. Pois o que resulta para o bárbaro dessa pobreza de experiência?"[24].

A experiência cria um contínuo histórico. O novo bárbaro se emancipa do contexto da tradição no qual uma experiência está inserida. A pobreza de experiência o impele a "partir para a frente, a começar de novo"[25]. Ele é animado pelo *páthos do novo*. Antes de mais nada, ele faz tábula rasa. Ele não se vê como narrador, mas como "construtor". Benjamin generaliza a nova barbárie e a transforma no

---

24 Ibid., p. 115-116.

25 Ibid.

princípio do novo: "A essa estirpe de construtores pertenceu Descartes, que baseou sua filosofia numa única certeza – penso, logo existo – e dela partiu"[26].

O novo bárbaro celebra a pobreza da experiência como emancipação: "pobreza de experiência: não se deve imaginar que os homens aspirem a novas experiências. Não, eles aspiram a libertar-se de toda experiência, aspiram a um mundo em que possam ostentar tão pura e tão claramente sua pobreza externa e interna, que algo de decente possa resultar disso"[27]. Benjamin cita uma série de artistas e escritores modernos que não se iludem com a pobreza de experiência e se deixam inspirar por esse "começar de novo". Eles se despedem resolutamente da burguesia empoeirada "para dirigir-se ao contemporâneo nu, deitado como um recém-nascido nas fraldas sujas de nossa época"[28]. Eles professam a transparência e a falta de mistério, ou seja, professam a

---

26 Ibid.

27 Ibid., p. 118.

28 Ibid., p. 116.

falta de aura. Também rejeitam o humanismo tradicional. Benjamin ressalta que eles gostam de dar a seus filhos nomes "desumanizados", como "Peka", "Labu" ou "Aviachim", aludindo a uma companhia de aviação. Para Benjamin, a casa de vidro de Paul Scheebart simboliza a vida das pessoas do futuro: "não é por acaso que o vidro é um material tão duro e tão liso, no qual nada se fixa. É também um material frio e sóbrio. As coisas de vidro não têm nenhuma aura. O vidro é, em geral, o inimigo do mistério"[29].

Benjamin também coloca o Mickey Mouse entre os novos bárbaros: "ao cansaço segue-se o sonho, e não é raro que o sonho compense a tristeza e o desânimo do dia, realizando a existência inteiramente simples e absolutamente grandiosa que não pode ser realizada durante o dia, por falta de forças. A existência do camundongo Mickey é um desses sonhos do homem contemporâneo"[30]. Benjamin admira a leveza que caracteriza a existência do Mickey

---

29 Ibid., p. 117.

30 Ibid., p. 118.

Mouse. Ele alça o Mickey Mouse a uma figura de redenção, pois ele traz de volta o encanto ao mundo:

> [...] aos olhos das pessoas, fatigadas com as complicações infinitas da vida diária e que veem o objetivo da vida apenas como o mais remoto ponto de fuga numa interminável perspectiva de meios, surge uma existência que se basta a si mesma, [...] do modo mais simples e mais cômodo, e na qual um automóvel não pesa mais que um chapéu de palha, e uma fruta na árvore se arredonda como a gôndola de um balão[31].

O ensaio *Pobreza e experiência* de Benjamin é repleto de ambivalências. No final do ensaio, a efusiva apologia da modernidade dá lugar à desilusão, o que denota o profundo ceticismo de Benjamin com respeito à modernidade. Prenunciando a Segunda Guerra Mundial, Benjamin escreve:

> Ficamos pobres. Abandonamos uma depois da outra todas as peças do patrimônio humano, tivemos que empenhá-las muitas

---

31 Ibid., p. 119.

> vezes a um centésimo do seu valor para recebermos em troca a moeda miúda do "atual". A crise econômica está diante da porta, atrás dela está uma sombra, a próxima guerra.[32]

Os modernos tinham, em todo caso, *visões*. O vidro, o verdadeiro protagonista dos escritos visionários de Paul Scheerbart, foi concebido como um meio do futuro para alçar a cultura humana a um nível superior. Em seu ensaio *Arquitetura de vidro*, Scheerbart fala da beleza que surgiria na Terra se o vidro fosse usado em todos os lugares. A arquitetura de vidro transformaria a Terra, "como se ela fosse revestida com joias de diamante e de esmalte". Teríamos, então, na Terra, "coisas mais encantadoras do que as dos jardins das *Mil e uma noites*"[33]. Em um mundo de edifícios de vidros brilhantes, coloridos e suspensos, as pessoas seriam mais felizes. As visões de Scheerbart são de beleza e felicidade humanas. Elas conferem uma aura especial ao vidro como um

---

32 Ibid.

33 SCHEEBART, P. *Glasarchitektur*. Berlim, 1914, p. 29.

meio do futuro. As narrativas reais do futuro irradiam uma aura, pois o futuro é uma *aparição de algo longínquo*.

A modernidade é animada por uma crença no progresso, pela ênfase na ruptura, na reordenação e no começar de novo, pelo espírito da revolução. O *Manifesto comunista* também apresenta uma narrativa do futuro que se afasta resolutamente da ordem tradicional. O manifesto fala da "derrubada violenta de toda a ordem social existente"[34]. Trata-se de uma *grande narração* sobre a sociedade que vem. Nas palavras de Bertolt Brecht, é inerente à modernidade um enfático "sentimento de iniciante". Depois de limpar a mesa, ela "joga" na "grande tábula rasa"[35].

Em contraste com a modernidade e com suas narrativas do futuro e do progresso, com seu anseio por uma *forma de vida diferente*, a modernidade tardia não tem mais o páthos revolucionário de uma nova ordem ou

---

34 MARX, K.; ENGELS, F. *Manifesto comunista*. São Paulo: Boitempo, 2005, p. 69.

35 BRECHT, B. *Journale 2. Autobiografische Notizen 1941-1955*. Frankfurt, 1995, p. 19.

de um começar de novo. Falta-lhe qualquer espírito de ruptura. Assim, ela se enfraquece, reduzindo-se a um *continuar assim*, *sem alternativas*. Ela perde toda sua *coragem narrativa*, toda *coragem para uma narrativa transformadora do mundo*. *Storytelling* quer dizer, principalmente, comércio e consumo. Enquanto *storytelling*, a modernidade não tem o poder de transformação da sociedade. A exausta modernidade tardia é alheia ao "sentimento de iniciante", à ênfase no "começar de novo". Nós não "professamos" nada. Estamos permanentemente *confortáveis*. Entregamo-nos à *conveniência* ou ao *like*, que não precisa de nenhuma narrativa. A modernidade tardia carece de qualquer anseio, qualquer visão, qualquer *coisa longínqua*. Assim, ela é completamente *sem aura*, ou seja, *sem futuro*.

O tsunami de informações de hoje intensifica a crise narrativa, afundando-nos no frenesi de atualidade. As informações fragmentam o tempo. O tempo é reduzido a uma *faixa estreita de coisas atuais*. Falta-lhe amplitude e profundidade temporais. A compulsão pela atualização desestabiliza a vida. O passado não produz mais qualquer efeito no presente. O futuro se reduz a um update permanente de coisas atuais. Assim, existimos sem *história*, porque a narração é uma história. Não só as experiências na forma de um *tempo compactado*, mas também as narrativas futuras na forma de um *tempo a ser descoberto* se perdem para nós. A vida que se desloca de um presente para o outro, de uma crise para a outra, de um problema para o outro, reduz-se a uma sobrevivência. A vida é mais do que solução de problemas. Aqueles que só solucionam problemas já não possuem futuro. Somente a *narração* desvela o futuro, somente ela nos dá *esperança*.

A vida narrada

Na obra das *Passagens,* Benjamin observa que:

> Nós só podemos imaginar a felicidade no ar que respiramos, entre as pessoas que viveram conosco. Em outras palavras, na ideia de felicidade [...] vibra conjuntamente a ideia de redenção [...]. Nossa vida é, em outras palavras, um músculo que possui força suficiente para contrair todo o tempo histórico. Ou ainda, a autêntica concepção do tempo histórico baseia-se inteiramente na imagem da redenção[36].

A felicidade *não é um acontecimento pontual*. Ela tem uma *longa cauda* que se estende até o passado. Ela se alimenta de tudo o que foi vivido. A forma de sua aparição não é o bri-

---

36 BENJAMIN, W. *Passagens.* Op. cit., p. 521.

lho, mas o *pós-brilho*. Devemos a felicidade à *salvação do passado*. Esta salvação exige uma *resiliência narrativa* que *prende* o passado ao presente e permite que aquele continue atuando sobre este, até mesmo para *ressurgir*. Dessa forma, a felicidade ecoa a redenção. Quando tudo nos lança em um frenesi de atualidade, quando estamos no meio da tempestade de contingências, somos infelizes.

A vida como um músculo exigiria uma força enorme se, como em Marcel Proust, as pessoas fossem imaginadas como aquele ser temporal que se equilibrasse sobre o passado como "em pernas de pau vivas, que crescessem incessantemente, às vezes mais altas que campanários"[37]. A conclusão da *Recherche* é tudo menos um triunfo: "assombrava-me que as minhas já fossem tão elevadas sob os meus passos, e julgava não ter ainda forças para sustentar por muito tempo ligado a mim esse passado que já se prolongava tanto para baixo"[38]. Proust en-

---

37 PROUST, M. *Em busca do tempo perdido*. Volume 3. Rio de Janeiro: Nova Fronteira, 2016, p. 830.

38 Ibid.

tende o resgate do passado como a *tarefa do narrador*. A conclusão da *Recherche* é:

> Pelo menos, se me fosse concedido tempo suficiente para terminar a minha obra, não deixaria eu, primeiro, de nela descrever os homens, o que os faria se assemelharem a criaturas monstruosas, como se ocupassem um lugar tão considerável, ao lado daquele tão restrito que lhes é reservado no espaço, um lugar [...] no Tempo"[39].

Uma *atrofia muscular* aflige a vida na modernidade. Ela é ameaçada pela desintegração do tempo. Com sua *Recherche*, Proust tenta combater a *atrofia temporal*, a *perda do tempo* que se dá na forma de uma *atrofia muscular*. O *reencontro do tempo* aparece em 1927. Neste ano, Heidegger publica *Ser e tempo*. Heidegger, todavia, também escreve resolutamente contra a *atrofia temporal* da modernidade, que desestabiliza e fragmenta a vida. A fragmentação e a atrofia da vida na modernidade são contrapostas *à* "ex-tensão de toda a existência", "na

---

39 Ibid.

qual o ser-aí [*Dasein*, a designação ontológica do ser humano], enquanto destino, mantém 'inseridos', em sua existência, nascimento, morte e o seu 'entre'"[40]. O ser humano não existe na forma de um instante para o outro. Não é um tipo de ser momentâneo. Sua existência abrange todo o período entre o nascimento e a morte. Devido à falta de orientação externa, devido à falta de ancoragem narrativa no ser, *é* do próprio eu que tem que emanar a força para *contrair* o intervalo de tempo entre o nascimento e a morte, transformando-o em uma unidade viva que permeia e engloba todos os eventos e acontecimentos. A continuidade do ser é garantida pela continuidade do eu. A "constância do eu" forma o eixo central do tempo que deve nos proteger da fragmentação do tempo.

Ao contrário do que afirma Heidegger, *Ser e tempo* não é uma análise atemporal da existência humana, mas um reflexo da crise temporal da modernidade. A angústia, que

---

40 HEIDEGGER, M. *Ser e tempo*. Parte II. Petrópolis: Vozes, 2005, p. 197 [optamos por traduzir *Dasein por ser-aí* [N.T.].

desempenha um papel tão eminente em *Ser e tempo*, também faz parte da patologia do ser humano moderno que não encontra mais um ponto de apoio no mundo. A morte também não está mais inserida em uma narrativa significativa de redenção. Em vez disso, é a *minha* morte, que só eu devo assumir. Como ela acaba com o meu eu de uma vez por todas, o ser-aí *se contrai em si mesmo* diante da morte. *É a partir da presença constante da morte que desperta a* ênfase no eu. A *espasticidade existencial* do ser-aí encerrado em si mesmo desenvolve a resiliência, a força muscular, que preserva o ser-aí da ameaça da atrofia temporal e o ajuda a alcançar uma continuidade temporal.

O *ser-si-mesmo* de Heidegger *é anterior* ao contexto narrativo da vida produzido posteriormente. O ser-aí se assegura de si mesmo *antes* de narrar a si mesmo uma história coerente referente ao *mundo da interioridade*. O eu não é construído através de ocorrências coerentes do mundo interior. Somente a "ex--tensão de toda a existência" cria a "*autêntica historicidade*". Contra a atrofia do tempo, busca-se uma *estruturação temporal da existência*, uma "ex-tensão de toda a existência, originária, que nem se perde e nem necessita de um nexo"[41]. Ela deve garantir que o ser-aí, como *unidade pré-narrativa*, não se desintegre em uma "soma das realidades momentâneas de vivências que vêm e desaparecem uma após a outra"[42]. Ela retira o ser-aí da "multiplicidade infinda das possibilidades de bem-estar, simplificar e esquivar-se", e o *ancora* na "simplicidade de seu *destino*"[43]. Ter um destino significa assumir o controle de si mesmo. Quem se rende às "realidades momentâneas" *não possui destino, não possui "historicidade autêntica"*.

A digitalização intensifica a atrofia do tempo. A realidade se desintegra em informações com uma margem estreita de atualidade. As informações vivem do fascínio da surpresa. Assim, elas fragmentam o tempo. Também a atenção é fragmentada. As informações não permitem que nos *demoremos*. Na troca acelerada de informações, uma informação perse-

---

41 Ibid., p. 197.
42 Ibid., p. 178.
43 Ibid., p. 189.

gue a outra. O *Snapchat* incorpora a *comunicação instantânea* digital. O mensageiro expressa a temporalidade do digital em sua forma mais pura. *Somente o momento importa. Snaps* são um sinônimo de "realidades momentâneas". Por isso, eles desaparecem após um curto tempo. A própria realidade se desintegra em *snaps*. Dessa forma, somos arrancados da ancoragem temporal estabilizadora. Os "stories" das plataformas digitais, como Instagram ou Facebook, não são narrações em sentido autêntico. Eles não possuem *duração narrativa*. São meras sequências de fotos momentâneas que não narram nada. Na realidade, eles não passam de *informações visuais* que desaparecem rapidamente. *Nada permanece*. Um dos slogans publicitários do Instagram diz o seguinte: "publique momento da sua rotina nos stories. Eles são engraçados, casuais e só podem ser vistos por 24 horas". A limitação temporal cria um efeito temporal especial. Ela evoca uma sensação de impermanência que cria uma sutil compulsão para se comunicar mais.

As selfies também são *fotografias instantâneas*. Elas são válidas apenas para o momento. Diferentemente das fotografias analógicas, que eram meios de recordação, as selfies são informações visuais fugazes. Ao contrário das fotografias analógicas, elas desaparecem de uma vez por todas após um curto tempo. Elas não são usadas para recordação, mas para comunicação. Em última análise, elas anunciam o fim da pessoa sobrecarregada com o destino e com a história.

O *Phono sapiens* se rende ao momento, à "soma das realidades momentâneas de vivências que vêm e desaparecem uma após a outra". *É-lhe estranha a* "ex-tensão de toda a existência" que abrange o período da vida entre o nascimento e a morte, e isso faz com que ele carregue este período dando ênfase a si-mesmo. Ele não existe historicamente. *Selfies de funerais* e enterros apontam para a ausência da morte. Ao lado de caixões, as pessoas sorriem alegremente para a câmera. Até mesmo a morte pode ser curtida. O *Phono sapiens* está claramente deixando o *Homo sapiens, que precisa de redenção*, para trás.

Plataformas digitais como Twitter, Facebook, Instagram, Tiktok ou Snapchat estão localizadas no ponto zero da narrativa. Elas não são um meio de narração, mas um meio de informação. Funcionam de forma aditiva, e não narrativa. As informações reunidas não se condensam em uma narração. À pergunta "como faço para criar ou editar um acontecimento no meu perfil do Facebook?", a resposta será: "clique em *sobre* e em *Acontecimentos* no menu à esquerda". Os acontecimentos são tratados como meras informações. Nenhuma narração longa é tecida a partir deles. Eles são alinhados de forma *sindética*, sem nenhum nexo narrativo. Nunca *é* realizada uma *síntese narrativa* dos eventos. Nas plataformas digitais, uma elaboração narrativo-reflexiva e a condensação das vivências não são possíveis nem desejáveis. O dispositivo técnico das plataformas digitais, por si só, *não permite uma* práxis narrativa e demorada.

A memória humana faz escolhas. Nesse aspecto, ela se diferencia de um banco de dados. Nossa memória é narrativa, enquanto o armazenamento digital é aditivo e cumulativo. A narração se baseia na seleção e na vinculação de acontecimentos. Ela é seletiva. A trajetória narrativa é estreita. Apenas os acontecimentos selecionados são nela incluídos. A vida narrada ou recordada é necessariamente *incompleta*. As plataformas digitais, ao contrário, estão interessadas em um *registro completo da vida*. *Quanto menos se narra, mais se acumulam dados e informações*. Para as plataformas digitais, os dados são mais valiosos do que as narrações. As *reflexões narrativas são indesejáveis*. Quando as plataformas digitais permitem formatos narrativos, eles devem ser projetados em conformidade com o banco de dados para que produzam o máximo de dados possíveis. *É assim que os formatos narrativos assumem, inevitavelmente, formas aditivas.* Os "stories" são projetados como portadores de informações. Eles fazem com que a narração em sentido autêntico desapareça. O dispositivo das plataformas digitais representa o *registro total da vida*. Seu objetivo é converter a vida em registro de dados. Quanto mais dados forem coletados sobre uma pessoa, melhor ela poderá ser monitorada, controlada e explorada economicamente. O *Phono sapiens*, que acredita estar apenas brincando, na verdade está sendo completamente explorado e controlado. O smartphone, como um playground, acaba se tornando um *panóptico digital*.

A narração autobiográfica pressupõe uma reflexão posterior sobre o que foi vivido, um trabalho de recordação consciente. Os dados e as informações, por outro lado, são gerados *enquanto passam pela consciência*. Eles reproduzem diretamente nossas atividades antes de serem propriamente refletidos e interpretados, antes de serem filtrados pela reflexão. *A qualidade dos dados é melhor quanto menos consciência eles contêm*. Esses dados concedem acesso a essas esferas que se isentam de consciência. Eles permitem que as plataformas digitais examinem a pessoa e controlem seu comportamento em um nível pré-reflexivo.

Walter Benjamin argumenta que a câmera, com seus recursos *técnicos como a* câmera lenta, câmera rápida ou close-ups, *é capaz de acessar o "inconsciente ótico"*[44] de nossos movimentos da mesma forma que a psicanálise acessa o inconsciente libidinal. Se fizermos uma analogia

---

44 BENJAMIN, W. *O narrador*. Op. cit., p. 189.

entre a exploração de dados e a filmadora, a exploração agiria como uma lente de aumento por trás do espaço entrelaçado com a consciência e abriria um espaço entrelaçado com o inconsciente, que chamamos de *inconsciente digital*. Assim, a inteligência artificial obtém acesso aos nossos desejos e inclinações dos quais não somos conscientes. A *psicopolítica impulsionada por dados* estaria em condições, portanto, de se apoderar do nosso comportamento no nível pré-consciente[45].

No chamado self-tracking, a computação toma completamente o lugar da narração. O self-tracking gera dados puros. O lema do *quantified self* [eu quantificado] é "*self knowledge through numbers*" ["autoconhecimento através dos *números*"]. Seus adeptos tentam obter autoconhecimento não por meio da narração, recordação ou reflexão, mas por meio da computação e de *números*. Para isso, o corpo é equipado com diversos sensores que geram automaticamente dados sobre frequência car-

---

45 HAN, B-C. *Psicopolítica – O neoliberalismo e as novas técnicas de poder*. Belo Horizonte: Âyiné, 2020.

díaca, pressão arterial, temperatura corporal, movimento e perfis de sono. Os estados psíquicos e de ânimo são registrados regularmente. Um registro minucioso de todas as atividades diárias é mantido. Até mesmo o dia em que o primeiro cabelo branco foi visto é registrado. Nada deve escapar ao registro total da vida. Com isso, *nada é narrado*. Tudo é apenas mensurado. Sensores e aplicativos fornecem dados automaticamente, ficando *aquém da re-presentação linguística e da reflexão narrativa*. O conjunto de dados são então resumidos em belos gráficos e diagramas. No entanto, eles não dizem nada sobre quem eu sou. *O eu não é uma quantidade, mas uma qualidade.* O "self knowledge through numbers" é uma quimera. Somente a narração nos ajuda a ter autoconhecimento: *eu tenho que narrar a mim mesmo*. Os números, porém, nada narram. A expressão "numerical narratives" ["narrativas numéricas"] é um oxímoro. A vida não pode ser narrada em acontecimentos quantificáveis.

The entire history of you [*Toda a sua história*] é o terceiro episódio da primeira temporada de *Black Mirror*. Nessa sociedade da transparência, todos usam um implante atrás da orelha que armazena de modo completo tudo o que o usuário viu e vivenciou. Dessa forma, tudo o que foi vivenciado e percebido pode ser reproduzido, sem falhas, nos olhos ou em monitores externos. No controle de segurança do aeroporto, por exemplo, é solicitado que você reproduza os eventos ocorridos durante determinado período. Não há mais segredo. É impossível, para os criminosos, esconderem o que fizeram. As pessoas estão presas em suas recordações, por assim dizer. Se tudo o que foi vivenciado pode ser repetido sem falhas, então, em rigor, a recordação não é mais possível.

A recordação não é uma repetição mecânica do que foi vivenciado, mas uma narração que deve ser novamente narrada várias vezes. As recordações são necessariamente falhas. Elas pressupõem proximidade e distância. Se tudo o que foi vivenciado estiver *presente sem distância*, ou seja, estiver *disponível*, a recordação desaparece. Uma reprodução sem falhas da vivência não é uma narrativa, mas um *relatório* ou *registro*. Quem quiser narrar ou recordar, precisa *ser capaz de esquecer ou deixar escapar* muita coisa. A sociedade da transparência representa o fim da narração e da recordação. Nenhuma narração é transparente. *Somente informações e dados são transparentes.* *The entire history of you* termina com a cena em que o protagonista corta seu implante com uma lâmina de barbear.

A vida desnuda

O protagonista Antoine Roquentin, do romance *A Náusea*, de Sartre, é tomado um dia por uma náusea insuportável: "então fui acometido pela Náusea, me deixei cair no banco, já nem sabia onde estava; via as cores girando lentamente em torno de mim, sentia vontade de vomitar. E é isso: a partir daí a Náusea não me deixou, se apossou de mim"[46]. A Náusea aparece para ele como uma "propriedade das coisas". Roquentin segura uma pedra e sente "uma espécie de náusea nas *mãos*"[47]. O mundo é náusea: "A Náusea *não está em mim: sinto-a ali na parede, nos suspensórios, por todo lado ao redor de mim. Ela forma um todo com o café: sou eu que estou nela*"[48].

---

46 SARTRE, J-P. *A Náusea*. Rio de Janeiro: Nova Fronteira, 2020, p. 35.

47 Ibid., p. 26.

48 Ibid., p. 36.

Roquentin lentamente se dá conta de que o que provoca a Náusea *é* o mero ser-disponível-aí das coisas, a pura facticidade, a contingência do mundo. Sob seu olhar, desintegram-se todas as referências que seriam capazes de retirar das coisas sua aleatoriedade e sua falta de sentido. O mundo aparece nu para ele, despido de toda significação. A própria existência aparece a Roquentin como desprovida de sentido: "surgira por acaso, existia como uma pedra, uma planta, um micróbio. Minha vida se desenvolvia ao acaso e em todos os sentidos. Enviava-me às vezes sinais vagos; outras vezes eu percebia apenas um zumbido sem importância"[49]. O zumbido sem sentido é insuportável. Não há *música*, não há *som*. O vazio insuportável no qual Roquentin ameaça se sufocar está por toda parte. O mundo não *significa* nada para ele. Ele também não *compreende* o mundo. Não há propósito, não há nenhum para-quê ao qual ele possa submeter as coisas. É justamente o propósito, a finalidade e a *serventia* que mantêm as coisas à distância.

---

49 Ibid., p. 103.

Agora, elas impõem sua existência desnuda a Roquentin. Elas se tornam independentes: "os objetos *não deveriam tocar*, já que não vivem. Utilizamo-los, colocamo-los em seus lugares, vivemos no meio deles: são úteis e nada mais. E a mim eles tocam – é insuportável. Tenho medo de entrar em contato com eles exatamente como se fossem animais vivos"[50].

Um dia, Roquentin percebe que é justamente a narração de histórias que tem o poder de fazer com que o mundo apareça repleto de sentido:

> eis o que pensei: para que o mais banal dos acontecimentos se torne uma aventura, é preciso e basta que nos ponhamos a *narrá-lo*. É isso que ilude as pessoas: um homem é sempre um narrador de histórias, vive rodeado por suas histórias e pelas histórias dos outros, vê tudo o que lhe acontece através delas; e procura viver sua vida como se a narrasse. Mas é preciso escolher: viver ou narrar[51].

---

50 Ibid., p. 26.

51 Ibid., p. 55.

Somente a narração de histórias eleva a vida para além de sua pura facticidade, para além de sua nudez. A narração consiste em dar ao tempo um curso significativo, um *começo* e um *fim*. Sem narração, a vida é meramente *aditiva*:

> Quando se vive, nada acontece. Os cenários mudam, as pessoas entram e saem, eis tudo. Nunca há começos. Os dias se sucedem aos dias, sem rima nem razão: é uma soma monótona e interminável. De quando em quando se procede a um total parcial, dizendo: faz três anos que viajo, três anos que estou em Bouville. Também não há fim [...]. Depois disso o desfile recomeça, voltamos a fazer as contas das horas e dos dias. Segunda, terça, quarta. Abril, maio, junho. 1924, 1925, 1926[52].

A crise existencial da modernidade na forma de uma crise da narração é ocasionada pelo *desmantelamento da vida e da narração*. A crise é: "viver *ou* narrar". A vida não parece mais ser narrável. Nos tempos pré-modernos,

---

52 Ibid., p. 56.

a vida estava ancorada em narrações. No tempo como narração, não há apenas segunda, terça, quarta..., mas Páscoa, Pentecostes, Natal, como estações narrativas. Até mesmo os dias da semana têm um significado narrativo: quarta-feira é o dia de Wotan[53], quinta-feira é o dia de Donar etc.[54].

Roquentin tenta superar a insuportável facticidade do ser, a vida desnuda, por meio da narração. No final do livro, ele decide abandonar sua profissão de historiador para se tornar escritor. Ao escrever romances, ele espera, pelo menos, *salvar o passado*:

> Um livro. Naturalmente, no início seria um trabalho tedioso e cansativo; não me impediria de existir nem de sentir que existo. Mas chegaria o momento em que o livro estaria escrito, estaria atrás de mim, e creio que um pouco de claridade iluminaria meu passado.

---

53 "Wotan" é o equivalente mitológico de Mercúrio nos idiomas germânicos. Antigamente, quarta-feira [*Mittwoch*] era *Wotanstag*, literalmente "dia de Wotan" [N.T.].

54 "Donar" significa "trovão" em alto-alemão antigo. A referência é a Thor, deus nórdico dos trovões e das batalhas. Em alemão, quinta-feira se diz *Donnerstag*, literalmente "dia de Donar" [N.T.].

> Então, talvez, através dele, eu pudesse evocar minha vida sem repugnância[55].

A *percepção em forma de narrativa* é encantadora. Tudo se junta em uma ordem bem formada. Um *e* narrativo que se alimenta da fantasia vincula coisas e acontecimentos que, concretamente falando, não teriam muita conexão, e até mesmo nulidades, ninharias ou banalidades são vinculados em uma narrativa na qual a pura facticidade é superada. O mundo aparece estruturado de forma rítmica. Coisas e acontecimentos não são isolados em si mesmos. Em vez disso, eles são partes narrativas. Em *Ensaio sobre a jukebox*, Peter Handke escreve:

> [...] e agora, enquanto verificava os caminhos, andando sem direção certa pela savana, subitamente ele se viu tomado por um ritmo totalmente diferente, que não era um ritmo mutável, marcado por saltos, mas sim um ritmo coeso, uniforme e, sobretudo, um ritmo que, em vez de circundar e de rodear,

---

55 SARTRE, J.-P. *A náusea*. Rio de Janeiro: Nova Fronteira, 2020, p. 200.

avançava em linha reta, com toda seriedade, *in medias res*: o ritmo da narrativa. E, então, ele sentiu tudo aquilo que ia a seu encontro, em sequência, como se fossem partes de uma narrativa [...]. 'Na cerca de arame havia farpas. Um homem velho, com um saco plástico, abaixou-se em direção a um cogumelo da estepe. Um cachorro passou, mancando, equilibrando-se sobre três patas, e lembrava uma corça [...]. No trem de Saragoça as luzes já estavam acesas, e os passageiros, esparsos, iam sentados em seu interior'[56].

A percepção em forma de narrativa, que transforma a pura facticidade, aparece para Handke em uma outra situação como uma estratégia existencial que consiste em converter o angustiante ser-no-mundo em um familiar estar-em-casa, ou impor um contexto ao que está isolado e desvinculado. A narração vivenciada como algo divino se revela como compulsão existencial:

---

56 HANDKE, P. *Ensaio sobre a jukebox*. São Paulo: Estação Liberdade, 2019, p. 57-8.

> aquilo já não era mais o poder avassalador da imaginação, que o conduzia com calidez, e sim algo que brotava diretamente de seu coração, subindo-lhe em direção à cabeça, uma compulsão fria, uma corrida que sempre se repetia, sem sentido, rumo a um portão que havia muito tempo estivera fechado, e ele se perguntava se aquele narrar, que agora lhe parecia divino, não fora um equívoco – uma expressão de seu medo diante de tudo o que se encontrava isolado e fora de contexto[57].

A vida na modernidade tardia é particularmente desnuda. Ela carece de qualquer *fantasia narrativa*. As informações não se deixam vincular em uma narração. Com isso, as coisas se desfazem. O contexto significativo cede seu lugar à justaposição e à sucessão sem sentido de acontecimentos. Não há horizonte narrativo para nos elevar além da *pura vida*. A vida que deve ser mantida "saudável" ou "otimizada" a qualquer custo é uma sobrevivência. A

---

57 Ibid., p. 59.

histeria em torno da saúde e da otimização só é possível em um mundo nu e vazio de sentido. A otimização se refere apenas à função ou eficiência. A narração, por outro lado, não pode ser otimizada, na medida em que ela possui um valor intrínseco.

Na modernidade digital tardia, encobrimos a nudez e o vazio de sentido da vida postando, curtindo e compartilhando permanentemente. O barulho da comunicação e das informações garante que a vida não revele um vazio angustiante. A crise de hoje não é mais viver *ou* narrar, mas viver *ou* postar. Similarmente, a obsessão por selfies não pode ser atribuída ao narcisismo. É muito mais o *vazio interior* que leva à obsessão por selfies. O Eu precisa de propostas de sentido que possam lhe conferir uma identidade estável. Em vista do vazio interior, ele *produz a si mesmo* permanentemente. As selfies reproduzem o *si-mesmo de forma vazia*.

Na sociedade da informação e da transparência, a nudez se intensifica e se transforma em obscenidade. Mas não se trata, aqui, da obscenidade cálida do que é reprimido, proibido ou velado, mas da obscenidade fria da transparência, da informação e da comunicação: "Trata-se [...] da obscenidade do que não tem mais mistério, do que pode ser completamente dissolvido em informação e comunicação"[58]. A informação como tal é pornográfica, porque *não é velada*. Somente *o velamento*, o *véu* que se tece em torno das coisas, é eloquente e narrativo. O velamento e a ocultação são essenciais para a narração. A pornografia não narra nada. Ela vai *direto ao ponto*, enquanto o *erotismo, como narrativa*, alonga-se em *banalidades*.

---

58 BAUDRILLARD, J. *Das Andere selbst*. Tese de habilitação: Viena, 1994, p. 19.

Desencantamento do mundo

O autor de livros infantis Paul Maar fala, em uma história, de um jovem que não sabia narrar[59]. Quando sua irmã mais nova, Susanne, que se revirava na cama sem dormir, pede ao irmão Konrad que lhe narre uma história, ele rudemente se recusa. Seus pais, por outro lado, adoram narrar histórias. São quase viciados nisso. Eles dificilmente concordam quanto a quem deve narrar primeiro. Por isso, eles mantêm uma lista que garante que todos tenham sua vez. Quando o pai, Roland, termina de narrar uma história, a mãe escreve um R no papel com um lápis. Depois da mãe narrar uma história, o pai insere um O maiúsculo na lista, referente a seu nome Olívia. Entre todos os "R" e "O", eventualmente há um pequeno

---

59 MAAR, P. Die Geschichte vom Jungen, der keine Geschichten erzählen konnte. In: *Die Zeit*, 28 out. 2004.

"S", porque Susanne também está começando a desenvolver o gosto pela narração de histórias. A família forma uma pequena comunidade narrativa. A narração de histórias os une. Somente Konrad se afasta dela.

A família está especialmente disposta a narrar histórias durante o café da manhã no sábado e no domingo. Narrar exige ócio. Em uma comunicação acelerada, não temos tempo nem paciência para narrar. Apenas informações são trocadas. Onde existe ócio, tudo se torna uma ocasião para narrar. O pai diz para a mãe, por exemplo: "Olivia, você poderia, por favor, me passar a geleia de morango?". Assim que o pai segura o pote de geleia na mão, ele olha pensativo à sua frente e *narra*: "isso me lembra do meu avô. Certa vez, quando eu tinha oito ou nove anos, o vovô pediu geleia de morango no almoço. No almoço, veja bem. A princípio, achamos que tínhamos ouvido mal, porque estávamos comendo *sauerbraten* com macarrão, como sempre acontecia no dia 2 de setembro...". O pai introduz a história com "isso me lembra...", ou "uma vez...". Narração e recordação são mutuamente dependentes.

Aqueles que se rendem ao presente pontual não são capazes de narrar.

O paradoxo entre a geleia de morango e o *sauerbraten* abrange o arco narrativo. Ele evoca toda a história da vida de uma pessoa, o drama ou a tragédia de um curso de vida. A profunda interioridade que o olhar pensativo do pai denuncia alimenta a recordação como narrativa. A época pós-narrativa é uma época sem interioridade. A informação vira tudo do avesso. Em vez da *interioridade de um narrador*, temos a *vigilância de um caçador de informações*.

A recordação que o pai tem do avô ao ver a geleia de morango se assemelha à *mémoire involontaire* [memória involuntária] de Proust. Quando Proust se abaixa para desamarrar os cadarços dos sapatos em um quarto de hotel no balneário de Balbec, a imagem de sua falecida avó aparece de repente diante de seus olhos. A dolorosa recordação de sua querida avó, que traz lágrimas aos olhos de Proust, proporciona, ao mesmo tempo, um momento de felicidade. Na *mémoire involontaire*, dois momentos separados de tempo se vinculam e se condensam em um *aromático cristal de tempo*. Dessa forma, a agonizante contingência do tempo é superada, e isso é gratificante. A narração, que cria uma forte relação entre os acontecimentos, supera a passagem vazia do tempo. O tempo da narrativa não passa. Logo, a perda da capacidade narrativa exacerba a experiência da contingência. Ela nos entrega à transitoriedade e à contingência. Além disso, o rosto rememorado da avó é experienciado como sua imagem *verdadeira*. A *verdade* é tomada por verdadeira[60] somente depois. Ela tem seu lugar na *recordação enquanto narração*.

O tempo está se tornando cada vez mais atomizado. Narrar, por outro lado, significa vincular. Aquele que narra, no sentido proustiano, mergulha na vida e tece novos fios entre os acontecimentos na sua interioridade. Com isso, uma densa rede de relacionamentos é formada, na qual nada está isolado. Tudo aparece

---

60 Aqui há um jogo de palavras entre a locução gewahr werden, que significa "se dar conta de algo", "se aperceber de algo", "tomar consciência de algo", e *Wahrheit*, "verdade". Preferi traduzir a locução *gewahr werden* por *tomar por verdadeiro*, para preservar a palavra *wahr*, "verdadeiro" [N.T.].

repleto de sentido. É justamente graças à narração que escapamos da contingência da vida.

Konrad não sabe narrar porque seu mundo consiste em fatos. Em vez de narrá-los, ele apenas os lista. Quando a mãe pede que ele conte como foi o dia de ontem, ele responde: "ontem eu fui à escola. Primeiro tivemos matemática, depois alemão, depois biologia e depois duas horas de esporte. Depois, fui para casa e fiz minha lição de casa. Depois, fiquei um pouquinho no computador e mais tarde fui para a cama". Sua vida é determinada por acontecimentos externos. Ele não tem a interioridade que lhe permitiria internalizar os acontecimentos, tecê-los e condensá-los em uma narrativa.

Sua irmãzinha, então, vai ajudá-lo e sugere: "eu sempre começo assim: era uma vez um rato". Konrad imediatamente pergunta: "Musaranho, rato doméstico ou rato-do-campo?", e continua: "os ratos pertencem à ordem dos roedores. Há dois grupos, os ratos e os ratos-do-campo". O mundo de Konrad está completamente desencantado. *É um mundo que se desintegra em fatos e perde toda a tensão* narrativa. O mundo que pode ser explicado não pode ser narrado.

O pai e a mãe finalmente percebem que Konrad não tem habilidade para narrar histórias. Por isso, decidem mandá-lo para a senhorita Muhse, que também os havia ensinado a narrar. Em um dia chuvoso, Konrad vai até a senhorita Muhse. Uma senhora muito idosa, com cabelos brancos e sobrancelhas grossas e ainda escuras, recebe-o com alegria na porta: "ah! Então seus pais o enviaram para que eu o ensine a narrar". A casa parece muito pequena por fora, mas por dentro tem um corredor infinitamente longo. A senhorita Muhse coloca um pacotinho na mão de Konrad e pede que ele o leve para sua irmã no andar de cima. Ela aponta para uma escada estreita. Konrad a sobe. Mas a escada parece se estender ao infinito. Espantado, ele pergunta: "como isso é possível? Eu vi a casa do lado de fora. Era um prédio de um andar. Já deveríamos estar pelo menos no sétimo andar". Konrad percebe que está sozinho. De repente, uma porta baixa se abre na parede próxima a ele. Uma voz rouca diz: "aí está[61] você, finalmente. Agora vupt! Chegue um porco mais perto!". Tudo aparece encantado para Konrad. Até mesmo a linguagem é estranha e enigmática. Isso lhe confere algo de mágico e encantador. Konrad enfia a cabeça pela porta. Na escuridão, ele reconhece uma figura semelhante a uma coruja. Muito assustado, ele pergunta: "quem... quem é você?". "Não seja tão seboso. Vai esperar virar vinagre?", reclama a criatura-coruja. Konrad se abaixa e passa pela porta. "Vá de vento em poça! Boca viagem!", a voz dá risadas. No mesmo instante, Konrad percebe que a sala escura não tem piso. Ele fica preso em um cano e cai a uma velocidade vertiginosa. Ele tenta em vão se segurar nas paredes do cano. Ele sente como se estivesse na barriga de um animal enorme que o engoliu. Finalmente, ele é cuspido direto na frente dos pés da senhorita Muhse. "O

---

61 As falas do ser misterioso da história são repletas de jogos de linguagem com o alemão, em que palavras são distorcidas ou substituídas por outras com sonoridade parecida, formando expressões sem sentido. Busquei, quando possível, adaptar ao português, privilegiando o trocadilho em detrimento da semântica, mantendo a intenção de brincar com a sonoridade das palavras [N.T.].

que você fez com o pacotinho?", ela pergunta com raiva. "Devo tê-lo perdido no caminho", responde Konrad. A senhorita Muhse enfia a mão em um bolso de seu vestido preto e tira outro pacotinho. Konrad poderia jurar que era o mesmo pacotinho que ela lhe havia entregado. "Aqui", diz a senhorita Muhse com aspereza. "Leve isso lá embaixo para o meu irmão, por favor". "No porão?", pergunta Konrad. "Que bobagem", diz a senhorita Muhse. "Você o encontrará no térreo. Estamos aqui em cima, no sétimo andar, você sabe disso! Agora vá logo!". Com cuidado, Konrad desce a escada estreita. Ela parece se estender ao infinito. Depois de cem passos, Konrad chega a um corredor sombrio. "Olá?", ele chama hesitante. Ninguém responde. Konrad tenta com um "Olá, senhor Muhse! O senhor me ouve?". Então uma porta se abre ao seu lado. Uma voz rouca diz: "é claro que eu te juro. Afinal, não sou pó! Vinha logo aqui!". Na sala escura, está sentado alguém que se parece com um castor e está fumando um charuto. A criatura-castor pergunta: "tá perando o quê? Venha de nenhuma vez por todas!" Konrad entra de modo hesitante. Novamente, ele cai nas entranhas escuras da casa. Novamente é cuspido aos pés da senhorita Muhse. Ela dá uma longa tragada em um charuto fino e diz: "conhecendo você, suponho que de novo não entregou o pacotinho". "Não", diz Konrad corajosamente. "Não estou aqui para entregar pacotinhos, estou aqui para aprender a narrar". "Como vou ensinar um garoto que não consegue nem carregar um pacotinho escada acima a narrar?! É melhor ir para casa, você é uma causa perdida", disse a senhorita Muhse, com firmeza. Ela abre uma porta na parede ao lado dele. "Boa triagem e tudo de pão", diz ela, empurrando Konrad para baixo. Novamente ele desliza para baixo pelas infinitas curvas da casa. Dessa vez, porém, ele não aterrissa na frente da senhorita Muhse, mas diretamente na frente da casa de seus pais. Seus pais e sua irmãzinha ainda estão tomando café da manhã. Konrad entra correndo na sala e diz animado: "tenho que contar para vocês. Vocês não vão acreditar no que eu vivi...". Só que o mundo não é mais explicável para Konrad. Ele não consiste em fatos objetivos, mas em eventos que desafiam a explicação, e é exatamente por isso que eles exigem uma narração. A virada narrativa de Konrad faz dele um membro da pequena comunidade narrativa. O pai e a mãe olham um para o outro com alegria. "Aí está!", diz a mãe, escrevendo um grande K no papel.

A história de Peter Maar pode ser lida como uma crítica social sutil. Ela parece lamentar que estamos desaprendendo a narrar histórias. *O desencantamento do mundo* é o responsável pela perda da capacidade de narrar. Isso pode ser resumido na fórmula: as coisas *existem*, mas *quedam em silêncio*. A magia lhes escapa. A pura facticidade do mero ser-disponível-aí torna a narração impossível. Facticidade e narratividade são mutuamente excludentes.

O desencantamento do mundo significa, sobretudo, que a relação com o mundo é reduzida à causalidade. A causalidade é apenas *uma* das formas possíveis de relação. Sua totalização leva a uma pobreza do mundo e da experiência. O mundo mágico é o mundo no qual as coisas se relacionam entre si fora do contexto causal e trocam confidências. A causalidade é mecânica e externa. Relações mágicas ou poéticas com o mundo significam que uma profunda simpatia conecta seres humanos e coisas. Em *Die Lehrlinge zu Sais* [*Os discípulos em Saïs*], Novalis escreve:

> A rocha não se torna um verdadeiro Tu, quando a ela me dirijo? E o que sou eu senão o riacho, quando olho triste para baixo em suas ondas e perco meus pensamentos em seu deslizar? [...] Se alguém já compreendia as pedras e as estrelas eu não sei, mas certamente esse alguém deve ter sido um ser sublime[62].

Para Walter Benjamin, as crianças são os últimos habitantes do mundo encantado. Para elas, nada *existe* pura e simplesmente *aí*. Tudo é *eloquente* e *repleto de sentido*. Uma *intimidade mágica* as conecta com o mundo. Brincando, elas entram em contato com as coisas, transformando-se nelas:

> A criança que está atrás da cortina torna-se ela mesma algo ondulante e branco, um fantasma. A mesa de refeições sob a qual ela

---

62 NOVALIS. *Die Lehrlinge zu Sais. Die Lehrlinge zu Sais.* In: NOVALIS. Schriften. KLUCKHON, P. & SAMUEL, R. (Eds.). Volume 1. Stuttgart, 1960, p. 71-111, aqui: p. 100ss.

se acocorou a faz tornar-se ídolo de madeira do templo onde as pernas entalhadas são as quatro colunas. E atrás de uma porta ela própria é porta, está revestida dela como de pesada máscara e, como mago-sacerdote, enfeitiçará todos os que entram sem pressentir nada. [...] A casa, para isso, é o arsenal das máscaras. Contudo, uma vez por ano, em lugares secretos, em suas órbitas oculares vazias, em sua boca rígida, há presentes. A experiência mágica se torna ciência. A criança, como seu engenheiro, desenfeitiça a sombria casa paterna e procura ovos de Páscoa[63].

Hoje, as crianças foram transformadas em seres digitais. A experiência mágica do mundo está se atrofiando. As crianças caçam informações como *ovos de Páscoa digitais*.

O desencantamento do mundo se expressa como desauritização. A aura é o brilho que eleva o mundo para além de sua pura facticidade, o véu misterioso que envolve as coisas.

---

63 BENJAMIN, W. *Rua de mão única*. São Paulo: Brasiliense, 1987, p. 40.

Ao mesmo tempo, a aura possui um núcleo narrativo. Assim, Benjamin afirma que as imagens da recordação narrativa têm uma aura, enquanto as fotografias não a possuem: "se as imagens que emergem da *mémoire involontaire* se distinguem por possuírem aura, então a fotografia participa decisivamente do fenômeno de uma 'decadência da aura'"[64].

A falta de interioridade narrativa distingue as fotografias das imagens da recordação. As fotografias retratam o dado sem internalizá-lo. Elas não querem dizer nada. A memória como narração, pelo contrário, não representa um contínuo espaçotemporal. Em vez disso, ela se baseia muito mais em uma *seleção narrativa*. Em contraste com a fotografia, ela é decididamente arbitrária e incompleta. Ela estende ou encurta a distância temporal. Ela pula anos ou décadas[65]. A narratividade se opõe à facticidade cronológica.

---

64 BENJAMIN, W. *Über einige Motive bei Baudelaire*. In: Gessammelte Schriften I.2, p. 605-653, aqui: p. 646.

65 KRACAUER, S. Das Ornament der Masse. *Essays*. Frankfurt, 1997, p. 24ss.

Inspirado por Marcel Proust[66], Benjamin supõe que as coisas retêm o olhar que pouso sobre elas. Dessa forma, elas próprias se tornam semelhantes ao olhar. O olhar tece o véu da aura que brilha ao redor das coisas. A aura é justamente a "distância do olhar que desperta no objeto observado"[67]. Ele os olha intimamente e eles desviam o olhar: "aquele que é olhado, ou que acredita estar sendo olhado, abre os olhos. Experienciar a aura de uma aparição *é dotá-la da capacidade de abrir os olhos. As* descobertas da *mémoire involontaire* correspondem a isso"[68]. As coisas perdem seu encantamento, sua aura, quando perdem o olhar. Não somos olhados nem abordados por elas. Elas não são mais um *Tu*, mas um *Isso*

---

66 "Alguns espíritos amantes de mistério imaginam que os objetos conservam algo dos olhos que os miraram, que quadros e monumentos só nos aparecem sob o véu perceptível tecido pelo amor e pela contemplação de seus adoradores durante séculos a fio" (PROUST, M. *Em busca do tempo perdido – o tempo redescoberto*. Vol. 7. São Paulo: Globo. Edição do Kindle, 2013, locais do Kindle: 3162-3163).

67 BENJAMIN, W. *Das Passagen-Werk*. Frankfurt am Main, 1991, p. 396 [Gesammelte Schriften, vol. 1].

68 BENJAMIN. *Über einige Motive bei Baudelaire*. Op. cit., p. 646.

silente. Não há mais nenhuma *troca de olhares* com o mundo.

Imersas na fluidez da *memóire involontaire*, as coisas se tornam recipientes aromáticos nos quais o que é visto e sentido é narrativamente condensado. Até mesmo um nome adquire uma aura e narra ao se estender em um espaço de recordação: "tal nome de um livro antigo guarda entre suas sílabas o vento *rápido e o sol brilhante que sentíramos ao lê-lo*"[69]. As palavras também podem irradiar uma aura. Benjamin cita Karl Kraus: "quanto mais de perto se olha para uma palavra, mais distante ela parece estar"[70].

Atualmente, percebemos o mundo principalmente em termos de informações. As informações não têm distância nem extensão. Elas não podem conter rajadas de vento fortes nem raios de sol brilhantes. Elas não têm espaços auráticos. Assim, elas desauritizam e

---

69 PROUST, M. *Em busca do tempo perdido – o tempo redescoberto.* Vol. 7. São Paulo: Globo. Edição do Kindle, 2013, locais do Kindle: 3167-3168.

70 BENJAMIN, W. *Über einige Motive bei Baudelaire*. Op. cit., p. 647.

desencantam o mundo. A linguagem perde completamente sua aura quando se transforma em informação. A informação representa o estágio de declínio absoluto da linguagem.

A memória é uma prática narrativa que constantemente vincula novos acontecimentos e cria uma rede de relações. O tsunami de informações destrói a interioridade narrativa. A memória desnarrativizada é como a "loja de sucatas", o "depósito abarrotado de todo tipo de imagens completamente desordenadas, mal preservadas e de símbolos desgastados"[71]. As coisas na loja de sucatas formam uma pilha desordenada e caótica. *O amontoado é a contrafigura da narração.* Os acontecimentos só se condensam em uma *história* se são *dispostos em camadas*[72] de uma determinada maneira. O amontoado de dados ou informações não tem uma história. Ele não é narrativo, mas cumulativo.

---

71 VIRILIO, P. *Information und Apokalypse.* Die Strategie der Täuschung. München, 2000, p. 39.

72 Em alemão, o termo é *"geschichtet"*, que é o particípio de *"schichten"*, que significa "dispor em camadas". Isso permite a aproximação, no original, com o substantivo *Geschichte* (história) [N.T.].

A história é uma contrafigura da informação, pois tem um começo e um fim. Ela se distingue por seu fechamento, que é uma *forma de desfecho*: "há uma [...] diferença fundamental entre as histórias, por um lado, que visam um fim, um fechamento, uma conclusão, e a informação, cuja própria natureza é sempre parcial, incompleta, fragmentária"[73]. Um mundo totalmente ilimitado não tem magia nem encantamento. São as *fronteiras, as transições e os limiares* que revelam a magia. Assim escreve Susan Sontag:

> Pois onde há fechamento, unidade e coerência, deve haver limites. Tudo é relevante na jornada que empreendemos dentro desses limites. Também poderíamos designar o final de uma história como o ponto mágico no qual essas visões mutáveis e provisórias se unem: o ponto fixo a partir do qual o leitor percebe como as coisas que inicialmente parecem díspares acabam se encaixando[74].

---

73 SONTAG, S. Zur gleichen Zeit. Aufsätze und Reden. München, 2008, p. 282.

74 Ibid., p. 281.

Narrar é um jogo de luz e sombra, do visível e invisível, da proximidade e distância. A *transparência* aniquila essa tensão dialética que está na base de toda narração. O desencantamento digital do mundo vai muito além do desencantamento que Max Weber atribui à racionalização por meio da ciência. *O desencanto de hoje remonta à informatização do mundo. A transparência é a nova fórmula para o desencantamento*. Ela desencanta o mundo ao dissolvê-lo em dados e informações.

Em uma entrevista, Paul Virilio menciona um conto de ficção científica sobre a invenção de uma câmera minúscula. Ela é tão pequena e leve que pode até ser transportada por flocos de neve. Essas câmeras são misturadas em grande quantidade com neve artificial e lançadas de aviões. As pessoas pensam: está nevando. Na realidade, o mundo está sendo contaminado por câmeras. Ele se torna totalmente transparente. Nada permanece oculto. Não há mais pontos cegos. Quando perguntado sobre o que poderíamos sonhar se tudo se tornasse completamente visível, Virilio responde: "sonharíamos em ser cegos"[75]. Não existe *narração transparente*. Toda narração pressupõe mistério e encantamento. Somente uma cegueira sonhada nos libertaria do inferno da transparência e nos permitiria narrar novamente.

Gershom Scholem conclui seu livro sobre o misticismo judaico com uma história hassídica:

> Quando Baal Shem Tov tinha algo difícil para fazer, alguma obra para o benefício das criaturas, ele ia para um determinado lugar na floresta, acendia um fogo e, absorto em meditação, orava. – E tudo o que ele empreendia acontecia tal como ele havia planejado. Uma gera*ção mais tarde, quando* Maguid de Mezeritch se deparou com um grande empreendimento, ele foi até aquele local no bosque e disse: "não sabemos mais acender o fogo, mas podemos fazer as orações". – E depois de fazê-las, tudo correu de acordo com seu plano. Outra geração mais tarde, o rabino Moshe Leib de

---

[75] Cyberwar, God and television, an interview with Paul Virilio. In: KROKER, A. & KROKER, M. (Eds.). *Digital Delirium*. New York, 1997, p. 41-48, aqui: p. 47.

Sassov estava para realizar um grande feito. *Lá, ele disse: "não sabemos mais acender o fogo, nem conhecemos* as meditações secretas que animam as orações. Mas conhecemos o lugar na floresta ao qual tudo isso pertence, e isso deve ser o suficiente". – E, de fato, foi o suficiente. Quando, novamente uma geração mais tarde, o rabino Israel de Ruzhin se comprometeu a realizar uma grande obra, ele se sentou em uma cadeira em casa e disse: "não sabemos mais fazer o fogo, não podemos mais fazer as orações prescritas, não conhecemos mais o lugar na floresta, mas podemos ainda narrar a história de tudo isso". – E a história, por si só, teve o mesmo efeito alcançado pelos outros três.[76]

Adorno cita essa história hassídica na íntegra em seu *Gruß an Gershom G. Scholem zum 70. Geburtstag* [saudações a Gershom G. Scholem em seu 70º aniversário]. Ele a interpreta

---

76 SCHOLEM, G. *Die jüdische Mystik in ihren Hauptströmungen*. Frankfurt, 1993, p. 384.

como uma narrativa metafórica sobre o avanço do processo de secularização da modernidade. O mundo está se tornando cada vez mais desencantado. O fogo mítico foi extinto há muito tempo. Não sabemos mais fazer orações. Também não somos capazes de meditações secretas. O lugar mítico na floresta foi esquecido. Hoje, além disso, algo crucial foi acrescentado. Estamos perdendo até mesmo a *habilidade para narrar* que seria capaz de, retrospectivamente, evocar esses eventos míticos.

Do choque ao *like*

Em seu estudo sobre Baudelaire, *Sobre alguns temas em Baudelaire*, Benjamin cita uma pequena peça em prosa de Baudelaire, *A perda da auréola*. A peça fala de um poeta que perde sua auréola ao atravessar uma avenida: "há pouco estava eu atravessando o bulevar com grande pressa, e eis que, ao saltar sobre a lama, em meio a este caos em movimento, onde a morte chega a galope de todos os lados ao mesmo tempo, minha auréola, em um movimento brusco, desliza de minha cabeça e cai no lodo do asfalto"[77]. Benjamin interpreta essa história como uma alegoria da modernidade. Ela fala sobre a decadência da aura: "ele [Baudelaire] determinou o preço que é preciso pagar para adquirir a sensação do moderno: a desintegra-

---

[77] BENJAMIN, W. *Sobre alguns temas em Baudelaire*. São Paulo: Brasiliense, 1989, p. 144 [Obras Escolhidas, vol. 3].

ção da aura na vivência do choque"[78]. A realidade vai se impondo ao espectador de forma intermitente. Ela se desloca da tela da pintura para a tela na qual o filme se desenrola. A pintura convida o espectador a um demorar contemplativo. Diante dela, ele se abandona à sua livre associação. Assim, ele descansa em si mesmo. O espectador do cinema, por outro lado, é como o pedestre no meio do caos do trânsito, em que a morte corre em sua direção a galope, por todos os lados: "o cinema é a forma de arte correspondente aos perigos existenciais mais intensos com os quais se confronta o homem contemporâneo"[79].

De acordo com Freud, a principal função da consciência é a defesa dos estímulos. Ela tenta atribuir um lugar na consciência ao estímulo intruso às custas da integridade de seu conteúdo. Benjamin cita Freud:

> para o organismo vivo, proteger-se contra os estímulos é uma função

---

[78] Ibid., p. 145.

[79] BENJAMIN, W. *A obra de arte na era de sua reprodutibilidade técnica*. São Paulo: Brasiliense, 1985, p. 192 [Obras Escolhidas, vol. 1].

> quase mais importante do que recebê-los; o organismo está dotado de reservas de energia próprias e, acima de tudo, deve estar empenhado em preservar as formas específicas de conversão de energia nele operantes contra a influência uniformizante e, por conseguinte, destrutivas das imensas energias ativas no exterior[80].

Essas energias ameaçadoras do exterior se descarregam em choques. Quanto mais bem-sucedida a consciência exerce seu trabalho, menos sentiremos o efeito traumático do choque. A consciência impede a penetração dos estímulos nas camadas mais profundas da psique. Quando a defesa da consciência contra os estímulos falha, sofremos um choque traumático. Na lida com esse choque, podem concorrer tanto o sonho quanto a memória. Posteriormente, eles se dão o tempo necessário na lida com o estímulo, tempo que antes nos faltava. Se o choque for aparado pela consciência, o incidente que o desencadeia *é* atenuado e trans-

---

80 BENJAMIN, W. *Sobre alguns temas em Baudelaire*. Op. cit., p. 109.

formado em uma vivência. Na modernidade, a participação do momento de choque nas impressões individuais se torna tão grande que a consciência precisa estar constantemente ativa no interesse da proteção dos estímulos. Quanto maior seu sucesso, menos eles entram na *experiência*. As experiências são substituídas por vivências, ou seja, por choques atenuados. O olho do habitante moderno das grandes cidades está sobrecarregado com funções de segurança. Eles desaprenderam a demorar-se de modo contemplativo: "o olhar prudente prescinde do sonho que divaga no longínquo"[81].

Benjamin realça a experiência do choque como o princípio poético de Baudelaire:

> Baudelaire fixou esta constatação na imagem crua de um duelo, em que o artista, antes de ser vencido, lança um grito de susto. Este duelo é o próprio processo de criação. Assim, Baudelaire inseriu a experiência do choque no âmago de seu trabalho artístico. [...] Tomado pelo susto, Baudelaire não está longe de

---

81 Ibid., p. 142.

> suscitá-lo ele próprio. Vallès
> fala de seus gestos excêntricos.
> [...] Gautier fala das "cesuras" e
> de como Baudelaire gostava de
> utilizá-las ao declamar; Nadar
> descreve o seu andar abrupto[82].

Baudelaire é, de acordo com Benjamin, um dos "tipos traumatófilos". Ele "abraçou como sua causa aparar os choques, de onde quer que proviessem, com o seu ser espiritual e físico"[83]. Ele "*luta esgrima*" com sua caneta.

Mais de 100 anos se passaram desde o estudo de Benjamin sobre Baudelaire. A tela em que o filme se desenrolava foi substituída pela tela digital que temos diante de nós quase o tempo todo. Originalmente, a palavra "tela" significava proteção. A tela *captura* a realidade em imagens. Dessa forma, ela nos protege da realidade. Percebemos a realidade quase que exclusivamente por meio da tela digital. A realidade é, agora, apenas uma seção da tela. No smartphone, a realidade é tão reduzida que suas impressões não contêm mais um momento de choque. *O choque dá lugar ao like.*

---

82 Ibid., p. 111.

83 Ibid.

O smartphone nos protege da realidade de forma maximamente eficaz, na medida em que remove completamente o *olhar* que o *outro* apresenta. O touchscreen faz com que a realidade como a *contraparte em forma de rosto* desapareça por completo. Privado da alteridade, o outro se torna consumível. Segundo Lacan, a imagem ainda possui um olhar que me olha, me agarra, me encanta, me fascina, que me cativa e toma posse de meu olho: "na imagem, um olhar é certamente sempre manifestado"[84]. Lacan distingue entre o olhar e o olho. O olho constrói uma imagem espelhada imaginária que *o olhar atravessa*.

O rosto exige distância. Ele é um *Tu*, e não um *Isso* disponível. Podemos, assim, tocar a imagem de uma pessoa com o dedo ou até mesmo apagá-la, porque ela já perdeu seu olhar, seu rosto. Lacan diria que a imagem enclausurada no touchscreen *não tem olhar*, que ela serve apenas como um *deleite para os olhos* que satisfaz minhas necessidades. Assim,

---

84 LACAN, J. *Die vier Grundbegriffe der Psychoanalyse*. Weinheim u. a. 1987, p. 107.

o touchscreen difere da imagem como *tela* (écran), que ainda permite que o olhar *transpareça*. A tela digital, ao contrário, na medida em que nos blinda completamente da realidade, não permite que nada *transpareça*. Ela é *plana*.

Toda teoria da imagem reflete a sociedade na qual ela está inserida. No tempo de Lacan, o mundo ainda é vivenciado como *passível de olhar*. Também em Heidegger encontramos formulações que são desconcertantes para nós, hoje. Em *Origem da obra de arte*, ele escreve: "utensílio: jarro, machado ou sapatos. A serventia é aquele traço fundamental a partir do qual este ente nos olha, quer dizer, nos 'pisca o olho' e, com isso, vem à presença e, desta forma, é este ente"[85]. Na verdade, é a serventia que faz com que o ser-disponível-aí dos entes desapareça, pois percebemos uma coisa em termos de sua finalidade. O "utensílio" de Heidegger ainda mantém uma dimensão do olhar. *É um oposto* que olha para nós.

---

85 HEIDEGGER, M. Caminhos de floresta. Lisboa: Fundação Calouste Gulbekian, 1998, p. 22.

O desaparecimento do olhar anda de mãos dadas com a crescente narcisização da percepção. O narcisismo elimina o olhar, ou seja, o outro, em favor da imagem imaginária do espelho. O smartphone acelera a expulsão do outro. Ele é um espelho digital que provoca uma reedição pós-infantil do estádio do espelho. Graças ao smartphone, permanecemos em um estádio do espelho que mantém um ego imaginário. O digital submete a tríade lacaniana do Real, do imaginário e do simbólico a uma reconstrução radical. Ele desconstrói o Real e, em favor do imaginário, faz desaparecer o simbólico que incorporava os valores e as normas da comunidade. Em última análise, isso resulta na erosão da comunidade. Na era da Netflix, ninguém falará da experiência de choque com relação ao filme. As séries da Netflix são tudo menos a forma de arte correspondente aos perigos existenciais mais intensos. Em vez disso, o consumo de séries é caracterizado pelo *bindge-watching* e pelo maratonar *séries*. O espectador é engordado como gado consumidor. O *bindge-watching* pode ser generalizado como o modo de percepção da modernidade digital tardia.

A mudança do choque para o *like* também pode ser atribuída à mudança em nosso aparato psíquico. Pode ser verdade que, na modernidade, nós percebemos o aumento da superestimulação como um choque. Com o tempo, o aparato psíquico se acostuma com o aumento da quantidade de estímulos. Isso embrutece a percepção. O córtex cerebral, onde ocorre a defesa contra estímulos, fica coberto pela córnea, por assim dizer. A camada mais externa da consciência endurece e se torna "inorgânica"[86].

Um tipo artístico como Baudelaire, que involuntariamente evoca o assustador, parece não apenas antiquado hoje, mas quase grotesco. Jeff Koons é o tipo artístico do presente. Ele trabalha de forma *smart*. Suas obras refletem o mundo simples do consumo, diametralmente oposto ao choque. Ele exige apenas um simples "uau" do espectador de suas obras. Sua arte é deliberadamente descontraída e desarmante. Ele quer, acima de tudo, *agradar*.

---

86 FREUD, S. Jenseits des Lustprinzips. In: Das Ich und das Es und andere metapsychologische Schriften. Frankfurt, 1978, p. 121-171, aqui: p. 138.

Seu lema é: "abraçar o espectador". Nada em sua arte pode assustar ou chocar o espectador. Ela está localizada além do choque. De acordo com Koons, ela quer ser "comunicação". Ele também poderia ter dito: *o lema da minha arte é o like.*

Teoria como narração

Em seu ensaio *The end of theory* [o fim da teoria], Chris Anderson, editor-chefe da Wired, afirma que quantidades inimagináveis de dados tornariam as teorias completamente obsoletas: "Hoje, empresas como Google, que cresceram em uma era de dados massivamente abundantes, não precisam se contentar com modelos errados. Na verdade, elas não precisam mais se contentar com modelos"[87]. A psicologia ou sociologia orientada por dados torna possível prever e controlar com precisão o comportamento humano. As teorias estão sendo substituídas por dados diretos: "para fora com toda teoria do comportamento humano, da linguística à sociologia. Esqueça a taxonomia, a ontologia e a psicologia. Quem

---

87 Wired Magazine, 16/07/2008. https://www.wired.com/2008/06/pb-theory/.

sabe por que as pessoas fazem aquilo que fazem? A questão é que elas fazem, e podemos rastrear e medir isso com uma fidelidade sem precedentes. Com dados suficientes, os números falam por si"[88].

O Big Data, na verdade, não explica nada. Apenas revela *correlações* entre as coisas. Mas as correlações são a forma mais primitiva de conhecimento. Nada é compreendido nas correlações. O Big Data não é capaz de explicar *por que* as coisas se comportam da maneira como se comportam. Não são estabelecidas conexões causais nem conceituais. O "*por que*" é completamente substituído pelo "*isto-é-assim*" incompreensível.

A teoria como narração cria uma ordem de coisas, relacionando-as umas com as outras e explicando *por que* elas se comportam da maneira como se comportam. Ela desenvolve *nexos conceituais* que tornam as coisas compreensíveis. Em contraste com o Big Data, ela nos oferece a forma mais elevada de conhecimento, qual seja, a *compreensão*. Ela apresen-

---

88 Idem.

ta uma *forma de desfecho* que *compreende* as coisas *em si* e as torna, por isso, compreensíveis. O Big Data, por outro lado, é totalmente *aberto*. A teoria na forma de desfecho *prende* as coisas em uma estrutura conceitual e as torna, com isso, *apreensíveis*. O fim da teoria significa, em última instância, dizer adeus ao *conceito como espírito*. A inteligência artificial funciona muito bem sem o conceito. *Inteligência não é espírito*. Somente o espírito é capaz de uma nova ordem das coisas, de uma nova *narração*. A inteligência calcula e computa. *O espírito, todavia, narra*. As ciências do espírito orientadas por dados não são ciências do *espírito*, mas ciências de dados. *Os dados expulsam o espírito*. O conhecimento de dados está localizado no *ponto zero do espírito*. Em um mundo saturado de dados e informações, a capacidade de narrar se atrofia. Com isso, a construção de teorias se torna algo mais raro, até mesmo *arriscado*.

Em Sigmund Freud é possível ver com clareza que teoria é narração. Sua psicanálise é uma narração que oferece um modelo explicativo para nosso aparato psíquico. As histórias que ele ouve de seus pacientes são submetidas à sua narrativa psicanalítica, que torna compreensível um determinado comportamento, um determinado sintoma. A cura supostamente ocorre quando os pacientes concordam com a narrativa que lhes é oferecida. O histórico de caso dos pacientes e sua narrativa psicanalítica interferem um no outro. A narrativa é sempre narrada novamente e adaptada ao material que ela procura interpretar. Os históricos dos casos devem se fundir em sua narrativa. Nesse processo, Freud aparece como um herói de sua própria narração:

> como um transnarrador do que lhe foi comunicado de forma distorcida, ele não só prova ser aquele que foca, pesa e ordena qualquer material inconsistente. Nada pode lhe acontecer, pois mesmo diante de supostos contratempos ele não perde a soberania interpretativa sobre seu material. Isso pode até ser presumido: quanto mais o material a ser interpretado ameaça escapar de seu alcance, mais obstinadamente ele insiste na legitimidade de suas fórmulas

> explicativas psicanalíticas e, ao fazê-lo, revela-se como o herói discreto de suas próprias narrativas analíticas[89].

Os diálogos de Platão já deixam claro que a filosofia é uma narração. Embora Platão, em nome da verdade, critique o mito enquanto *narração*, paradoxalmente ele mesmo faz uso frequente de narrativas míticas. Em muitos diálogos, elas desempenham um papel central. No *Fédon*, por exemplo, Platão narra o destino da alma após a morte, assim como Dante em sua *Divina Comédia*. Os pecadores seriam condenados ao tormento eterno no Tártaro. Somente os virtuosos entrariam nas moradas celestiais após a morte. Depois de suas observações sobre o destino da alma após a morte, Platão afirma que vale a pena ousar acreditar nele:

> Afirmar, de modo positivo, que tudo seja como acabei de expor, não é próprio de homem sensato; mas que deve ser assim mesmo ou quase assim no que diz respeito a nossas almas e suas moradas,

---

[89] BRONFEN, E. Theorie als Erzählung: Sigmund Freud. In: MERSCH, D. et. al. (Ed.). *Ästhetische Theorie*. Zurique/Berlim, 2019, p. 57-74, aqui: p. 59.

> sendo a alma imortal como se
> nos revelou, é proposição que me
> parece digna de fé e muito própria
> para recompensar-nos do risco
> em que incorremos por aceitá-la
> como tal. *É um belo risco, eis o que
> precisamos dizer a nós mesmo, à
> guisa de fórmula de encantamento.
> Essa é a razão de ter me alongado
> neste mito*[90].

A filosofia como "poesia" (*mythos*) é um *risco*, um *belo risco*. Ela narra, até mesmo *ousa, uma maneira nova de viver e ser*. O *ego cogito, ergo sum* de Descartes introduz uma nova ordenação das coisas, ordenação esta que representa a idade moderna. A orientação radical em direção à certeza é um *risco com respeito ao novo* que abandona a narrativa cristã-medieval. O Iluminismo também é uma narrativa. A teoria moral de Kant, igualmente, é uma narrativa muito ousada. Nela, um Deus moral garante que a bem-aventurança seja distribuída "na exata proporção da eticidade"[91]. Somos

---

90 PLATÃO. *Fédon*. Belém: Ed. UFPA, 2011, p. 114D.

91 KANT, I. *Kritik der praktischen Vernunft.* Darmstadt, 1983, p. 239.

recompensados por renunciarmos ao prazer terreno em favor da virtude. O postulado de Kant sobre a imortalidade da alma também é uma narrativa ousada. De acordo com Kant, a "realização do bem supremo" pressupõe uma "existência que continua a existir no infinito", porque nenhum "ser do mundo sensível" é capaz "em qualquer momento de sua vida" da "completa adequação dos sentimentos à lei moral". Assim, um "progresso que vai até o infinito" é postulado, em que os seres humanos buscam alcançar o "sumo bem"[92] além da morte. No que diz respeito à imortalidade da alma, a teoria moral de Kant *enquanto* fábula *não difere fundamentalmente do mito* em Platão. Em contraste com Kant, Platão enfatiza especificamente que se trata de uma narrativa (*mythos*).

Novas narrativas permitem uma nova percepção. A transvaloração de todos os valores de Nietzsche abre uma nova visão de mundo. O mundo é *transnarrado*, por assim dizer. Assim, nós passamos a vê-lo com olhos completamente diferentes. A *Gaia ciência* de Nietzsche

---

92 Ibid., p. 252ss.

é tudo menos ciência no sentido estrito. Ela é concebida como uma *narrativa do futuro*, baseada em uma "esperança", em uma "fé no amanhã e no depois de amanhã". A transvaloração de todos os valores de Nietzsche é uma *narrativa enquanto risco e celebração*, até mesmo enquanto *aventura*. Ela desvela o *futuro*. No prefácio da *Gaia ciência*, Nietzsche escreve:

> "Gaia Ciência": ou seja, as saturnais de um espírito que pacientemente resistiu a uma longa, terrível pressão – pacientemente, severa e friamente, sem sujeitar-se, mas sem ter esperança –, e que repentinamente é acometido pela esperança, pela esperança de saúde, pela *embriaguez* de convalescença. Não surpreende que então venha à luz muita coisa irracional e tola, muita leviana ternura, esbanjada até mesmo em problemas de pelos hirtos e pouco dispostos a deixar-se acariciar e atrair. Todo este livro não é senão divertimento após demorada privação e impotência, o júbilo da força que retorna, da renascida fé num amanhã e no depois de amanhã, do repentino sentimento

e pressentimento de um futuro, de aventuras próximas, de mares novamente abertos, de metas novamente admitidas, novamente acreditadas[93].

Nietzsche, como narrador, enfatiza especificamente sua *autoria:* "tenho isso em minhas mãos, tenho a mão para *mudar perspectivas*: razão pela qual uma *transvaloração dos valores* foi possível somente para mim"[94]. Somente na medida em que a teoria é uma narrativa é que ela também pode ser uma *paixão*. A inteligência artificial não pode pensar porque *não pode se apaixonar*, porque não é capaz de uma *narração apaixonada*.

No instante em que a filosofia reivindica ser uma ciência, ser uma ciência exata, seu declínio começa. A filosofia como ciência renega seu caráter narrativo originário. Ela se priva de sua *linguagem. Emudece.* A filosofia acadêmica, que se esgota na *administra*ção da his-

---

93 NIETZSCHE, F. *A gaia ciência*. São Paulo: Companhia das Letras, 2001, p. 9.

94 NIETZSCHE, F. Nachgelassene Fragmente 1887-1889. In: COLLI, G. & MONTINARI, M. (Eds.). *Kritische Studienausgabe.* Vol. 13. Berlim/Nova York 1988, p. 630.

tória da filosofia, é incapaz de *narrar*. Ela não é mais um *risco*, mas uma *burocracia*. Assim, a atual crise da narração também está se apoderando da filosofia e lhe pondo um fim. Não temos mais coragem para a filosofia, coragem para a teoria, isto é, *coragem para a narração*. Devemos estar cientes de que o pensamento é, em última análise, ele próprio uma narrativa, que ele procede em etapas narrativas.

Narração como cura

Em uma de suas *Imagens do pensamento*, Benjamin evoca a cena originária da cura: "a criança está doente. A mãe coloca-a na cama e senta-se a seu lado. E depois começa a lhe narrar histórias"[95]. A narração de histórias cura, na medida em que proporciona um profundo relaxamento e cria um senso de confiança básica. A voz plena e amável da mãe acalma a criança, acaricia sua alma, fortalece o vínculo e lhe dá apoio. Além disso, as narrativas das histórias infantis falam de um mundo intacto. Elas transformam o mundo em um lar familiar. Além disso, um de seus modelos básicos é a superação feliz de uma crise. Dessa forma, elas ajudam a criança a superar sua doença enquanto crise.

---

95 BENJAMIN, W. Denkbilder. In: Gessammelte Schriften. Vol. IV.1. Frankfurt/M: 1971, p. 305-438, aqui: p. 430.

A cura também é a mão que *narra*. Benjamin relata um poder de cura incomum que emana das mãos de uma senhora, cujos movimentos faz parecer que estão narrando: "os seus movimentos eram extremamente expressivos. Mas seria impossível descrever essa expressão... Era como se narrassem uma história"[96]. Toda doença revela um bloqueio interno que pode ser removido por meio do *ritmo da narração*. A *mão que narra* libera a tensão, a congestão e o endurecimento. Ela traz as coisas de volta aos eixos, deixa-as *fluir*.

Benjamin se pergunta se "não seria toda doença curável se se deixasse arrastar o mais longe possível – até a foz – pela corrente da narração"[97]. A dor é um dique que inicialmente resiste à corrente narrativa. Mas ela é rompida quando a corrente narrativa cresce e se torna forte o suficiente. Ela então leva tudo o que encontra em seu caminho para o mar da feliz libertação. A mão carinhosa guia o fluxo narrativo, na medida em que "delineia uma

---

96 Ibid.

97 Ibid.

cama"[98] para ele. Benjamin ressalta que a narrativa que a pessoa doente faz ao médico no início do tratamento já dá início ao processo de cura.

Freud também entende a dor como um sintoma que indica um bloqueio na história de uma pessoa. A pessoa é incapaz de continuar sua história. Os transtornos psíquicos são expressões de uma narrativa bloqueada. A cura consiste em liberar o paciente desse bloqueio narrativo, em verbalizar o não-narrável. O paciente é curado no momento em que ele *se narra mais livremente*.

As narrativas, como tais, revelam o poder de cura. Benjamin menciona os ditos mágicos de Merseburg, o segundo dos quais serve como uma magia de cura. Contudo, ele não é composto de fórmulas abstratas. Antes, narra a história de um cavalo ferido no qual Odin usa sua fórmula mágica. Assim, observa Benjamin: "não se trata apenas de repetir a fórmula de Odin, mas de *narrar* os fatos que o levaram a utilizá-las pela primeira vez"[99].

---

98 Ibid.
99 Ibid., destaque de B. Han.

Um acontecimento traumático pode ser superado se for integrado a uma narrativa religiosa que ofereça conforto ou esperança e, assim, nos ajude a superar a crise. Diante de acontecimentos críticos, também se contam *narrativas de crise* que ajudam a superá-los, na medida em que os inserem em um contexto significativo. As teorias da conspiração também possuem uma função terapêutica. Elas oferecem uma explicação simples para questões complexas que são responsáveis pela crise. Portanto, elas são narrativas que aparecem sobretudo em tempos de crise. Com respeito a uma situação crítica e de crise, *a narração, como tal*, tem um efeito terapêutico, na medida em que lhe atribui um *lugar no passado*. Deslocada para o passado, ela não afeta mais o presente. Ela é, por assim dizer, *posta de lado*.

O capítulo sobre a ação de Arendt em *Vita activa oder vom tätigen Leben* tem como epígrafe um dito inusitado de Isak Dinesen, que é ali utilizado como mote: "todas as mágoas são suportáveis quando fazemos delas uma história ou contamos uma história a seu respeito"[100]. A *fantasia narrativa* é curativa. As preocupações são despojadas de sua facticidade opressiva ao serem colocadas em uma *aparência narrativa*. Elas são absorvidas por ritmos e melodias narrativas. A narrativa as elevam da pura facticidade. Elas *se liquefazem* no fluxo narrativo em vez de se endurecerem em um bloqueio mental.

Hoje, apesar do *storytelling*, o *clima narrativo* está desaparecendo. Também os médicos *já quase não narram* mais. Eles não têm tempo nem paciência para escutar. A lógica da eficiência não é compatível com o *espírito da narração*. Somente a psicoterapia e a psicanálise ainda mostram reminiscências do poder curativo da narração. *Momo*, de Michael Ende, pode curar as pessoas simplesmente escutando-as. Ela é rica em tempo: "o tempo era a única coisa em que Momo era rica". Seu tempo é válido para o outro. O *tempo do outro* é um *tempo bom*. Momo prova ser uma ouvinte ideal: "o que a pequena Momo podia fazer

---

100 ARENDT, H. *A condição humana*. Rio de Janeiro: Forense Universitária, 2007, p. 188.

como ninguém era: escutar". Isso não é nada especial, alguns leitores poderiam dizer – qualquer um é capaz de escutar. Mas isso é um erro. Poucas pessoas podem de fato escutar. E a maneira com que Momo sabia escutar era totalmente *única*". O silêncio amistoso e atento de Momo é capaz até mesmo de trazer ideias *à outra pessoa que* esta jamais teria podido pensar por conta própria. "Não porque ela tenha dito ou perguntado algo que tenha trazido essas ideias ao outro; não, ela apenas sentou-se e escutou, com toda a atenção e interesse. Ao fazer isso, ela olhava para o outro com seus grandes olhos escuros, e a pessoa em questão sentia que, de repente, surgiam pensamentos que nunca havia suspeitado que existissem nela". Momo garante que o outro *narre livremente*. Ela cura, na medida em que libera bloqueios narrativos: "em outra ocasião, um menino lhe trouxe um canário que não queria cantar. Essa foi uma tarefa muito difícil para Momo. Ela teve que escutá-lo por uma semana inteira até que ele finalmente começou a gorjear e jubilar novamente".

A escuta se concentra principalmente não no conteúdo que está sendo partilhado, mas na *pessoa*, no *quem do outro*. Com seu olhar profundo e amigável, Momo *visa* explicitamente ao outro em sua *alteridade*. A escuta não é um estado passivo, mas um fazer ativo. *Ela inspira o outro a narrar* e abre um *espaço de ressonância* no qual quem narra se sente *visado*, sente que lhe *escutam*, e até mesmo se sente *amado*.

O toque também tem um poder de cura. Assim como a narração de histórias, ele cria proximidade e confiança básica. Como *narrativas táteis*, ele libera tensões e bloqueios que levam à dor e à doença. É assim que o médico Viktor von Weizsäcker evoca outra cena originária da cura:

> Quando a irmã *vê seu irmãozinho com dor*, ela encontra, antes de todo conhecimento, um caminho: carinhosamente, sua mão encontra o caminho; fazendo carinho, ela quer tocá-lo onde dói – *eis que a pequena samaritana se torna a primeira médica*. Um conhecimento

prévio de um efeito originário prevalece inconscientemente nela; ele guia seu impulso até a mão e leva a mão ao toque efetivo. Pois é isso que o pequeno irmão experimentará: a mão lhe faz bem. Entre ele e sua dor surge a sensação de ser tocado por uma mão fraterna, e a dor se afasta dessa nova sensação[101].

A mão que toca tem o mesmo efeito de cura que a voz narrativa. Ela cria proximidade e confiança. Libera a tensão e elimina o medo.

Hoje vivemos em uma sociedade sem toque. O toque pressupõe a *alteridade do outro*, que lhe despoja de sua disponibilidade. Não podemos tocar um objeto consumível. Nós o agarramos ou tomamos posse dele. O smartphone, que incorpora o dispositivo digital, cria a ilusão da disponibilidade total. Seu habitus consumista abrange todos os domínios da vida. Ele também rouba do outro sua alteridade e o degrada a um objeto consumível.

---

101 VON WEIZSÄCKER, V. Die Schmerzen. In: *Der Arzt und der Kranke. Stücke einer medizinischen Anthropologie*. Frankfurt, 1987, p. 27-47, aqui: p. 27 [Gesammelte Schriften, vol. 5].

bém rouba do outro sua alteridade e o degrada a um objeto consumível.

A crescente pobreza de contato nos adoece. Se formos totalmente privados de contato, ficaremos irremediavelmente presos em nosso ego. O toque, em sentido enfático, arranca-nos de nosso ego. Pobreza de contato, em última análise, significa pobreza de mundo. Ela nos deixa depressivos, solitários e ansiosos. A digitalização agrava essa pobreza de contato e de mundo. Paradoxalmente, a crescente conectividade nos isola. Essa é a funesta dialética da conectividade. Estar conectado não significa estar vinculado.

Os "stories" nas redes sociais, que na verdade nada mais são do que representações de si mesmo, isolam as pessoas. Ao contrário das narrativas, eles não geram proximidade nem empatia. Em última instância, eles são informações visualmente embelezadas que tornam a desaparecer após um curto período. Eles não narram, mas *anunciam*. A busca por atenção não cria uma comunidade. Na *época* do *storytelling* como *storyselling*, narração e anúncio são indistinguíveis. Nisso consiste a presente crise da narração.

Comunidade narrativa

Em seu ensaio *Behutsame Ortsbestimmung*[102], Peter Nadás narra a história de uma aldeia em cujo centro se encontra uma enorme pereira selvagem. Nas noites quentes de verão, os moradores se reúnem sob a árvore e narram histórias uns aos outros. A aldeia forma uma comunidade narrativa. As histórias, que carregam valores e normas, vinculam intimamente as pessoas. A comunidade narrativa é uma comunidade *sem comunicação*: "tem-se a sensação de que a vida aqui não é feita de vivências pessoais [...], mas de silêncios profundos"[103]. Sob a pereira selvagem, a aldeia se entrega à "contemplação ritual" e ratifica o "conteúdo coletivo da consciência": "eles não têm *nenhuma*

---

102 *Localização prudente*, em tradução livre [N.T.].

103 NÁDAS, P. *Behutsame Ortsbestimmung*. Zwei Berichte. Berlim, 2006, p. 11.

opinião sobre isso ou aquilo, mas narram ininterruptamente uma única grande história"[104]. *Não sem pesar, Nadás* faz a seguinte constatação ao final do ensaio: "ainda me lembro como, nas noites quentes de verão, a aldeia costumava cantar baixinho [...] sob a grande pereira selvagem [...]. Hoje já não há mais dessas *árvores*, e o canto da aldeia emudeceu"[105].

Na comunidade narrativa de Nadás, uma comunidade sem comunicação, impera um silêncio, uma harmonia tranquila. Ela é diametralmente oposta à sociedade da informação de hoje. Não narramos mais histórias uns aos outros. Em vez disso, nos *comunicamos* excessivamente. *Postamos, compartilhamos e curtimos.* Aquela "contemplação ritual" que ratifica o conteúdo coletivo da consciência dá lugar ao barulho da comunicação e da informação. A comunicação barulhenta silencia totalmente aquele "canto" que sintoniza os moradores da aldeia em *uma história* e, assim, os une. Essa *comunidade sem comunicação dá lugar à comunicação sem comunidade.*

---

104 Ibid., p. 17.

105 Ibid., p. 33.

As narrativas criam coesão social. Elas contêm propostas de sentido e transportam valores constitutivos de uma comunidade. Por isso, elas devem ser diferenciadas das narrativas que fundamentam um *regime*. As narrativas subjacentes ao regime neoliberal impedem justamente a formação de comunidades. A narrativa neoliberal do desempenho, por exemplo, faz com que cada um seja um *empreendedor de si mesmo*. Todos estão em competição contra todos. A narrativa do desempenho não cria coesão social, não cria um Nós. Pelo contrário, ela desmantela tanto a solidariedade quanto a empatia. As narrativas neoliberais, tais como a da otimização de si mesmo, da autorrealização, ou da autenticidade, desestabilizam a sociedade ao isolar as pessoas. Quando todos reverenciam religiosamente a si mesmos e são sacerdotes de si mesmos, quando todos *se produzem*, *se performam*, nenhuma comunidade estável pode ser formada.

O mito é uma narrativa *comunitária ritualmente encenada*. Mas o conteúdo de consciência coletivo não é prerrogativa das comunidades narrativas míticas. As sociedades modernas com narrativas futuras também podem desenvolver uma *comunidade narrativa dinâmica* que permite mudanças. Aquelas narrativas conservadoras e nacionalistas que se opõem à permissividade liberal são excludentes e discriminatórias. Mas nem todas as narrativas constitutivas de uma comunidade se baseiam na *exclusão do Outro*, na medida em que existe também uma *narrativa inclusiva* que não se apega a uma identidade. O universalismo radical que Kant defende em seu À paz perpétua, por exemplo, é uma grande narrativa que inclui toda a humanidade, todas as nações, e as une em uma comunidade mundial. Kant fundamenta a paz perpétua nas ideias de "cidadão do mundo" e "hospitalidade". Com isso, todo ser humano tem o direito de "se apresentar à sociedade, em virtude do direito de posse comum à superfície da terra sobre a qual, como superfície esférica, eles não podem se dispersar infinitamente, mas têm enfim de tolerar uns próximos aos outros, pois originariamente ninguém tem mais direito do que o outro de estar em um lugar da Terra"[106]. De acordo com essa narrativa universalista, não pode haver mais refugiados. Todo ser humano usufrui de hospitalidade irrestrita. Todo ser humano é um cidadão do mundo. Novalis também defende um universalismo radical. Ele imagina uma "família mundial" para além da nação e da identidade. Ele eleva a poesia como forma de reconciliação e amor. Ela une os seres humanos e as coisas em uma comunidade mais íntima: "a poesia eleva cada indivíduo por meio de uma conexão peculiar com todo o resto [...], a poesia forma a bela sociedade – a família mundial – a bela família do universo. [...] O indivíduo vive no todo e o todo no indivíduo. É por meio da poesia que se origina a mais alta simpatia e coatividade, a comunidade mais íntima"[107]. Essa comunidade mais íntima é uma *comunidade narrativa*, mas que rejeita a excludente narrativa da identidade.

---

106 KANT, I. *À paz perpétua: um projeto filosófico*. Petrópolis: Vozes, 2020, p. 29.

107 NOVALIS. *Schriften*. Op.Cit., Vol II, p. 533.

A sociedade moderna tardia, que não possui um reservatório suficiente de narrativa comunitária, é instável. Sem narrativa comunitária, o político no sentido enfático, aquele que possibilita a *ação comum*, é incapaz de se formar. No regime neoliberal, a narrativa comunitária está se desintegrando cada vez mais em narrativas privadas na forma de *modelos de autorrealização*. O regime neoliberal impede a formação de narrativas constitutivas de comunidade. Ele isola os seres humanos a fim de aumentar o desempenho e a produtividade. Como resultado, somos muito pobres em narrativas comunais e significativas. A proliferação de narrativas privadas leva a comunidade à erosão. Os stories nas redes sociais, que publicam o privado como autorrepresentações, também deterioram a *esfera pública política*. Assim, eles dificultam a formação de narrativas comunitárias.

A ação política em sentido enfático pressupõe uma narrativa. Ela deve ser narrável. Sem narrativas, o agir se degenera em ações e reações arbitrárias. *A ação política pressupõe uma coerência narrativa*. Hannah Arendt vincula explicitamente a ação à narração: "pois a ação e o discurso, cuja estreita interrelação na concepção grega de política já discutimos, são de fato as duas atividades que, em última instância, sempre resultam em uma *história*, ou seja, em um processo que, por mais arbitrário e por acaso que seja em seus eventos e causas individuais, ainda assim tem coerência suficiente para poder ser *narrado*"[108].

Atualmente, as narrativas estão cada vez mais despolitizadas. Elas servem principalmente para singularizar a sociedade, criando singularidades culturais como objetos, estilos, lugares, coletivos ou eventos singulares[109]. Dessa forma, elas não possuem mais nenhum poder de formação de comunidade. A ação comum, o *Nós*, baseia-se em uma narrativa. Hoje, as narrativas são amplamente monopolizadas pelo comércio. O *storytelling* como *storyselling não produz uma comunidade narrativa, mas uma sociedade do consumo. As*

---

108 ARENDT, H. *Vita activa oder Vom tätigen Leben*. Op. cit., p. 90. Destaque de B. Han.

109 Cf. RECKWITZ, A. *Die Gesellschaft der Singularitäten: Zum Strukturwandel der Moderne*. Berlim, 2019.

narrativas são produzidas e consumidas como mercadorias. Consumidores não formam uma comunidade, um *Nós*. A comercialização das narrativas retira-lhes sua força política. Dessa forma, até mesmo a moralidade se torna consumível, quando certos produtos *são adornado*s com narrativas morais, tal como o *comércio justo* (*fair trade*). Elas são vendidas e consumidas como informações eminentes. O consumo moralizado, mediado por narrativas, aumenta apenas a autoestima. Por meio de narrativas, não nos relacionamos com a comunidade que deve ser melhorada, mas com nosso próprio ego.

Storyselling

O *storytelling* está em alta ultimamente. Até passa a impressão de que estamos voltando a narrar mais histórias uns aos outros. Na verdade, o *storytelling* é tudo menos o retorno da narração. Em vez disso, ele serve para instrumentalizar e comercializar as narrativas. Ele está se estabelecendo como uma eficiente *técnica de comunicação* que, não raro, tem objetivos manipuladores. Trata-se sempre de uma questão: "how to use *storytelling*?" ["como usar o *storytelling*?"]. Enganam-se aqueles que presumem que os gestores de produto imersos em *storytelling* representam a vanguarda de uma nova narrativa.

Storytelling na forma de *storyselling* carece do poder que originariamente distingue as narrativas. As narrativas inserem as articulações no ser, por assim dizer. Dessa forma, elas dão *orientação e apoio à vida. Por outro lado*, as narrativas na forma de *produto* de *storytelling* compartilham muitas características com as informações. Tal como as informações, elas são efêmeras, arbitrárias e consumíveis. Elas não são capazes de estabilizar a vida.

Narrativas são mais eficazes do que meros fatos ou números porque provocam emoções. Emoções respondem sobretudo às narrativas. *Storys sell* significa, em última análise: *emotions sell*. As emoções têm seu lugar no sistema límbico do cérebro, que controla nossas ações no nível instintivo-corporal, e do qual não temos consciência. Elas podem influenciar nosso comportamento *passando ao largo* do nosso entendimento. Com isso, as reações defensivas conscientes são contornadas. Ao se apropriar deliberadamente da narrativa, o capitalismo se apodera da vida em um nível pré-reflexivo. Dessa forma, ele escapa do controle consciente e da reflexão crítica.

O *storytelling* abrange diferentes áreas. Até mesmo analistas de dados aprendem *storytelling*, pois acreditam que os dados não possuem alma. Dados se opõem às narrações. Eles não tocam as pessoas. Eles ativam mais o entendimento do que a emoção. Até mesmo jornalistas iniciantes participam de seminários de *storytelling*, como se tivessem que escrever romances. O *storytelling* é usado sobretudo no *marketing*. O *marketing* precisa transformar as coisas desprovidas de valor em bens valiosos. Narrativas que prometam vivências especiais para o consumidor são decisivas para a criação de valor. Na era do *storytelling*, consumimos mais narrativas do que coisas. O conteúdo da narrativa é mais importante do que o valor de uso. O *storytelling* também comercializa a história especial de um lugar. Ela é explorada comercialmente para agregar valor narrativo aos produtos fabricados no lugar. No entanto, a história no sentido autêntico cria uma *comunidade*, conferindo-lhe uma identidade. O *storytelling*, por outro lado, transforma a história em uma mercadoria.

Atualmente, até mesmo os políticos sabem que *storys sell*. Na luta pela atenção, narrativas são mais eficazes do que argumentos. Por isso, elas são instrumentalizadas politicamente. O objetivo é apelar não ao entendimento, mas às emoções. *Storytelling* como uma técnica eficaz de comunicação política é tudo menos a *visão política* que avança em direção ao futuro e que oferece sentido e orientação às pessoas. As narrativas políticas oferecem a perspectiva de uma nova ordem das coisas, pintam *mundos possíveis*. Hoje, falta-nos justamente as *narrativas futuras* que nos dão *esperanças*. Nós nos arrastamos de uma crise para outra. A política é reduzida à solução de problemas. Somente as narrativas abrem o futuro.

Viver é narrar. Os seres humanos, como *animal narrans*, diferem dos animais por serem capazes de realizar novas formas de vida por meio da narração. A narração tem o *poder de um novo começo*. Toda ação que transforma o mundo pressupõe uma narração. O *storytelling*, por outro lado, conhece apenas uma forma de vida, a saber, a consumista. O *storytelling* na forma de *storyselling* não é capaz de criar formas de vida totalmente diferentes. No mundo do *storytelling*, tudo é reduzido ao consumo. Isso nos cega para outras narrações, outros modos de vida, outras percepções e realidades. Essa é a crise da narração na época do *storytelling*.

Para ver os livros de **BYUNG-CHUL HAN** publicados pela Vozes, acesse:

livrariavozes.com.br/autores/byung-chul-han

ou use o QR CODE